Level 1

¡Avancemos!

Unit 4 Resource Book

HOLT McDOUGAL
a division of Houghton Mifflin Harcourt

Fine Art Acknowledgments

Page 86 *The Persistence of Memory* (1931), Salvador Dalí. Oil on canvas, 9 1/2″ x 13″ (24.1 cm x 33 cm). Museum of Modern Art, New York (162.1934). Given anonymously. © 2007 Salvador Dalí, Gala-Salvador Dalí Foundation/Artists Rights Society (ARS), New York. Digital Image © The Museum of Modern Art/Licensed by SCALA /Art Resource, NY.

Page 87 *Village Festival with Aristocratic Couple* (1652), David Teniers. Oil on canvas, 31 1/2″ x 43″. Erich Lessing/Art Resource, NY.

Page 88 *Las meninas* (1656), Diego Rodríguez Velázquez. Oil on canvas, 109″ x 125″. Museo del Prado, Madrid, Spain. Photograph by Erich Lessing/Art Resource, NY.

Page 89 *Las meninas (Infanta Margarita)* (1957), Pablo Picasso. Oil on canvas, 194 cm x 260 cm. Gift of the artist, 1968, Museo Picasso, Barcelona (MPB 70.433)/© 2007 Estate of Pablo Picasso/ Artists Rights Society (ARS), New York/Bridgeman Art Library.

ISBN-13: 978-0-618-76615-4
ISBN-10: 0-618-76615-4   13 14 15 16 1689 17 16 15 14
4500485579
Internet: www.holtmcdougal.com

HOLT McDOUGAL

¡Avancemos!

Table of Contents

To the Teacher

Welcome to *¡Avancemos!* This exciting new Spanish program from McDougal Littell has been designed to provide you—the teacher of today's foreign language classroom—with comprehensive pedagogical support.

PRACTICE WITH A PURPOSE

Activities throughout the program begin by establishing clear goals. Look for the **¡Avanza!** arrow that uses student-friendly language to lead the way towards achievable goals. Built-in self-checks in the student text (**Para y piensa:** Did you get it?) offer the chance to assess student progress throughout the lesson. Both the student text and the workbooks offer abundant leveled practice to match varied student needs.

CULTURE AS A CORNERSTONE

¡Avancemos! celebrates the cultural diversity of the Spanish-speaking world by motivating students to think about similarities and contrasts among different Spanish-speaking cultures. Essential questions encourage thoughtful discussion and comparison between different cultures.

LANGUAGE LEARNING THAT LASTS

The program presents topics in manageable chunks that students will be able to retain and recall. "Recycle" topics are presented frequently so students don't forget material from previous lessons. Previously learned content is built upon and reinforced across the different levels of the program.

TIME-SAVING TEACHER TOOLS

Simplify your planning with McDougal Littell's exclusive teacher resources: the all-inclusive EasyPlanner DVD-ROM, ready-made Power Presentations, and the McDougal Littell Assessment System.

Unit Resource Book

Each Unit Resource Book supports a unit of *¡Avancemos!* The Unit Resource Books provide a wide variety of materials to support, practice, and expand on the material in the *¡Avancemos!* student text.

Components **Following is a list of components included in each Unit Resource Book:**

BACK TO SCHOOL RESOURCES (UNIT 1 ONLY)

Review and start-up activities to support the **Lección preliminar** of the textbook.

DID YOU GET IT? RETEACHING & PRACTICE COPYMASTERS

If students' performance on the **Para y piensa** self-check for a section does not meet your expectations, consider assigning the corresponding Did You Get It? Reteaching and Practice Copymasters. These copymasters provide extensive reteaching and additional practice for every vocabulary and grammar presentation section in *¡Avancemos!* Each vocabulary and grammar section has a corresponding three-page copymaster. The first page of the copymaster reteaches the subject material in a fresh manner. Immediately following this presentation page are two pages of practice exercises that help the student master the topic. The practice pages have engaging contexts and structures to retain students' attention.

PRACTICE GAMES

These games provide fun practice of the vocabulary and grammar just taught. They are targeted in scope so that each game practices a specific area of the **lesson**: *Práctica de vocabulario*, *Vocabulario en contexto*, *Práctica de gramática*, *Gramática en contexto*, *Todo junto*, *Repaso de la lección*, and the lesson's cultural information.

Video and audio resources

VIDEO ACTIVITIES

These two-page copymasters accompany the Vocabulary Video and each scene of the **Telehistoria** in Levels 1 and 2 and the **Gran desafío** in Level 3. The pre-viewing activity asks students to activate prior knowledge about a theme or subject related to the scene they will watch. The viewing activity is a simple activity for students to complete as they watch the video. The post-viewing activity gives students the opportunity to demonstrate comprehension of the video episode.

VIDEO SCRIPTS

This section provides the scripts of each video feature in the unit.

AUDIO SCRIPTS

This section contains scripts for all presentations and activities that have accompanying audio in the student text as well as in the two workbooks (*Cuaderno: práctica por niveles* and *Cuaderno para hispanohablantes*) and the assessment program.

Culture resources

MAP/CULTURE ACTIVITIES

This section contains a copymaster with geography and culture activities based on the Unit Opener in the textbook.

FINE ART ACTIVITIES

The fine art activities in every lesson ask students to analyze pieces of art that have been selected as representative of the unit location country. These copymasters can be used in conjunction with the full-color fine art transparencies in the Unit Transparency Book.

Home-school connection

FAMILY LETTERS & FAMILY INVOLVEMENT ACTIVITIES

This section is designed to help increase family support of the students' study of Spanish. The family letter keeps families abreast of the class's progress, while the family involvement activities let students share their Spanish language skills with their families in the context of a game or fun activity.

ABSENT STUDENT COPYMASTERS

The Absent Student Copymasters enable students who miss part of a **lesson** to go over the material on their own. The checkbox format allows teachers to choose and indicate exactly what material the student should complete. The Absent Student Copymasters also offer strategies and techniques to help students understand new or challenging information.

Core Ancillaries in the ¡Avancemos! Program

Leveled workbooks

CUADERNO: PRÁCTICA POR NIVELES

This core ancillary is a leveled practice workbook to supplement the student text. It is designed for use in the classroom or as homework. Students who can complete the activities correctly should be able to pass the quizzes and tests. Practice is organized into three levels of difficulty, labeled A, B, and C. Level B activities are designed to practice vocabulary, grammar, and other core concepts at a level appropriate to most of your students. Students who require more structure can complete Level A activities, while students needing more of a challenge should be encouraged to complete the activities in Level C. Each level provides a different degree of linguistic support, yet requires students to know and handle the same vocabulary and grammar content.

The following sections are included in *Cuaderno: práctica por niveles* for each **lesson**:

Vocabulario A, B, C	Escuchar A, B, C
Gramática 1 A, B, C	Leer A, B, C
Gramática 2 A, B, C	Escribir A, B, C
Integración: Hablar	Cultura A, B, C
Integración: Escribir	

CUADERNO PARA HISPANOHABLANTES

This core ancillary provides leveled practice for heritage learners of Spanish. Level A is for heritage learners who hear Spanish at home but who may speak little Spanish themselves. Level B is for those who speak some Spanish but don't read or write it yet and who may lack formal education in Spanish. Level C is for heritage learners who have had some formal schooling in Spanish. These learners can read and speak Spanish, but may need further development of their writing skills. The *Cuaderno para hispanohablantes* will ensure that heritage learners practice the same basic grammar, reading, and writing skills taught in the student text. At the same time, it offers additional instruction and challenging practice designed specifically for students with prior knowledge of Spanish.

The following sections are included in *Cuaderno para hispanohablantes* for each **lesson**:

Vocabulario A, B, C	Integración: Hablar
Vocabulario adicional	Integración: Escribir
Gramática 1 A, B, C	Lectura A, B, C
Gramática 2 A, B, C	Escritura A, B, C
Gramática adicional	Cultura A, B, C

Other Ancillaries

ASSESSMENT PROGRAM

For each level of *¡Avancemos!*, there are four complete assessment options. Every option assesses students' ability to use the lesson and unit vocabulary and grammar, as well as assessing reading, writing, listening, speaking, and cultural knowledge. The on-level tests are designed to assess the language skills of most of your students. Modified tests provide more support, explanation and scaffolding to enable students with learning difficulties to produce language at the same level as their peers. Pre-AP* tests build the test-taking skills essential to success on Advanced Placement tests. The assessments for heritage learners are all in Spanish, and take into account the strengths that native speakers bring to language learning.

In addition to leveled lesson and unit tests, there is a complete array of vocabulary, culture, and grammar quizzes. All tests include scoring rubrics and point teachers to specific resources for remediation.

UNIT TRANSPARENCY BOOKS—1 PER UNIT

Each transparency book includes:

- Map Atlas Transparencies (Unit 1 only)
- Unit Opener Map Transparencies
- Fine Art Transparencies
- Vocabulary Transparencies
- Grammar Presentation Transparencies
- Situational Transparencies with Label Overlay (plus student copymasters)
- Warm Up Transparencies
- Student Book and Workbook Answer Transparencies

LECTURAS PARA TODOS

A workbook-style reader, *Lecturas para todos*, offers all the readings from the student text as well as additional literary readings in an interactive format. In addition to the readings, they contain reading strategies, comprehension questions, and tools for developing vocabulary.

There are four sections in each *Lecturas para todos*:

- *¡Avancemos!* readings with annotated skill-building support
- *Literatura adicional*—additional literary readings
- Academic and Informational Reading Development

LECTURAS PARA HISPANOHABLANTES

Lecturas para hispanohablantes offers additional cultural readings for heritage learners and a rich selection of literary readings. All readings are supported by reading strategies, comprehension questions, tools for developing vocabulary, plus tools for literary analysis.

There are four sections in each *Lecturas para hispanohablantes*:

- *En voces* cultural readings with annotated skill-building support

- *Literatura adicional*—high-interest readings by prominent authors from around the Spanish-speaking world. Selections were chosen carefully to reflect the diversity of experiences Spanish-speakers bring to the classroom.

- Bilingual Academic and Informational Reading Development

- Bilingual Test Preparation Strategies, for success on standardized tests in English

COMIC BOOKS

These fun, motivating comic books are written in a contemporary, youthful style with full-color illustrations. Each comic uses the target language students are learning. There is one 32-page comic book for each level of the program.

TPRS: TEACHING PROFICIENCY THROUGH READING AND STORYTELLING

This book includes an up-to-date guide to TPRS and TPRS stories written by Piedad Gutiérrez that use *¡Avancemos!* lesson-specific vocabulary.

MIDDLE SCHOOL RESOURCE BOOK

- Practice activities to support the 1b Bridge lesson

- Diagnostic and Bridge Unit Tests

- Transparencies

  - Vocabulary Transparencies

  - Grammar Transparencies

  - Answer Transparencies for the Student Text

  - Bridge Warm Up Transparencies

- Audio CDs

LESSON PLANS

- Lesson Plans with suggestions for modifying instruction
- Core and Expansion options clearly noted
- IEP suggested modifications
- Substitute teacher lesson plans

BEST PRACTICES TOOLKIT

Strategies for Effective Teaching

- Research-based Learning Strategies
- Language Learning that Lasts: Teaching for Long-term Retention
- Culture as a Cornerstone/Cultural Comparisons
- English Grammar Connection
- Building Vocabulary
- Developing Reading Skills
- Differentiation
- Best Practices in Teaching Heritage Learners
- Assessment (including Portfolio Assessment, Reteaching and Remediation)
- Best Practices Swap Shop: Favorite Activities for Teaching Reading, Writing, Listening, Speaking
- Reading, Writing, Listening, and Speaking Strategies in the World Languages classroom
- ACTFL Professional Development Articles
- Thematic Teaching
- Best Practices in Middle School

Using Technology in the World Languages Classroom

Tools for Motivation

- Games in the World Languages Classroom
- Teaching Proficiency through Reading and Storytelling
- Using Comic Books for Motivation

Pre-AP and International Baccalaureate

- International Baccalaureate
- Pre-AP

Graphic Organizer Transparencies

- Teaching for Long-term Retention
- Teaching Culture
- Building Vocabulary
- Developing Reading Skills

Absent Student Copymasters—Tips for Students

LISTENING TO CDS AT HOME

- Open your text, workbook, or class notes to the corresponding pages that relate to the audio you will listen to. Read the assignment directions if there are any. Do these steps before listening to the audio selections.

- Listen to the CD in a quiet place. Play the CD loudly enough so that you can hear everything clearly. Keep focused. Play a section several times until you understand it. Listen carefully. Repeat aloud with the CD. Try to sound like the people on the CD. Stop the CD when you need to do so.

- If you are lost, stop the CD. Replay it and look at your notes. Take a break if you are not focusing. Return and continue after a break. Work in short periods of time: 5 or 10 minutes at a time so that you remain focused and energized.

QUESTION/ANSWER SELECTIONS

- If there is a question/answer selection, read the question aloud several times. Write down the question. Highlight the key words, verb endings, and any new words. Look up new words and write their meaning. Then say everything aloud.

- One useful strategy for figuring out questions is to put parentheses around groups of words that go together. For example: (¿Cuántos niños)(van)(al estadio)(a las tres?) Read each group of words one at a time. Check for meaning. Write out answers. Highlight key words and verb endings. Say the question aloud. Read the answer aloud. Ask yourself if you wrote what you meant.

- Be sure to say everything aloud several times before moving on to the next question. Check for spelling, verb endings, and accent marks.

FLASHCARDS FOR VOCABULARY

- If you have Internet access, go to ClassZone at classzone.com. All the vocabulary taught in *¡Avancemos!* is available on electronic flashcards. Look for the flashcards in the *¡Avancemos!* section of ClassZone.

- If you don't have Internet access, write the Spanish word or phrase on one side of a 3″ × 5″ card, and the English translation on the other side. Illustrate your flashcards when possible. Be sure to highlight any verb endings, accent marks, or other special spellings that will need a bit of extra attention.

GRAMMAR ACTIVITIES

- Underline or highlight all verb endings and adjective agreements. For example: **Nosotros comemos pollo rico.**

- Underline or highlight infinitive endings: **trabajar**.

- Underline or highlight accented letters. Say aloud and be louder on the accented letters. Listen carefully for the loudness. This will remind you where to write your accent mark. For example: **lápiz, lápices, árbol, árboles**

- When writing a sentence, be sure to ask yourself, "What do I mean? What am I trying to say?" Then check your sentence to be sure that you wrote what you wanted to say.

- Mark patterns with a highlighter. For example, for stem-changing verbs, you can draw a "boot" around the letters that change:

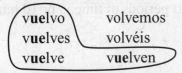

READING AND CULTURE SECTIONS

- Read the strategy box. Copy the graphic organizer so you can fill it out as you read.

- Look at the title and subtitles before you begin to read. Then look at and study any photos and read the captions. Translate the captions only if you can't understand them at all. Before you begin to read, guess what the selection will be about. What do you think that you will learn? What do you already know about this topic?

- Read any comprehension questions before beginning to read the paragraphs. This will help you focus on the upcoming reading selection. Copy the questions and highlight key words.

- Reread one or two of the questions and then go to the text. Begin to read the selection carefully. Read it again. On a sticky note, write down the appropriate question number next to where the answer lies in the text. This will help you keep track of what the questions have asked you and will help you focus when you go back to reread it later, perhaps in preparation for a quiz or test.

- Highlight any new words. Make a list or flashcards of new words. Look up their meanings. Study them. Quiz yourself or have a partner quiz you. Then go back to the comprehension questions and check your answers from memory. Look back at the text if you need to verify your answers.

PAIRED PRACTICE EXERCISES

- If there is an exercise for partners, practice both parts at home.

- If no partner is available, write out both scripts and practice both roles aloud. Highlight and underline key words, verb endings, and accent marks.

WRITING PROJECTS

- Brainstorm ideas before writing.

- Make lists of your ideas.

- Put numbers next to the ideas to determine the order in which you want to write about them.

- Group your ideas into paragraphs.

- Skip lines in your rough draft.

- Have a partner read your work and give you feedback on the meaning and language structure.

- Set it aside and reread it at least once before doing a final draft. Double-check verb endings, adjective agreements, and accents.

- Read it once again to check that you said what you meant to say.

- Be sure to have a title and any necessary illustrations or bibliography.

Did You Get It? *Presentación de vocabulario*

> **¡AVANZA!** **Goal:** Learn to talk about shopping, colors, and the seasons.

Shopping

- Study the list of words and phrases about shopping.

Where to shop	**ir de compras** *(to go shopping)*	
	el centro comercial *(shopping center, mall)*	
	la tienda *(shop)*	
What to buy	**el gorro** *(winter hat)*	**la chaqueta** *(jacket)*
	el sombrero *(hat)*	**los calcetines** *(socks)*
	el vestido *(dress)*	**los jeans** *(jeans)*
	la blusa *(blouse)*	**los pantalones** *(pants)*
	la camisa *(shirt)*	**los pantalones cortos** *(shorts)*
	la camiseta *(T-shirt)*	**los zapatos** *(shoes)*
How to pay	**el precio** *(price)*	**el euro** *(euro)*
	el dinero *(money)*	
Describing clothes	**amarillo(a)** *(yellow)*	**feo(a)** *(ugly)*
	anaranjado(a) *(orange)*	**nuevo(a)** *(new)*
	azul *(pl., **azules**) (blue)*	**negro(a)** *(black)*
	blanco(a) *(white)*	**rojo(a)** *(red)*
	marrón *(pl., **marrones**) (brown)*	**verde** *(green)*
Seasons	**las estaciones** *(seasons)*	**el verano** *(summer)*
	el invierno *(winter)*	**el otoño** *(autumn, fall)*
	la primavera *(spring)*	

- Read the following paragraph to learn more expressions you can use to talk about shopping, clothes, and the different seasons.

Durante *(during)* el invierno, yo siempre **tengo frío** *(I'm cold)*. Me gusta **llevar** *(to wear)* un gorro. Durante el verano, Jorge siempre **tiene calor** *(he's hot)*. Le gusta llevar pantalones cortos. Jorge y yo **pensamos** *(are planning)* ir al centro comercial mañana. **Queremos** *(We want)* comprar ropa nueva. Yo **quiero** *(I want)* comprar una chaqueta. Jorge **quiere** *(he wants)* comprar jeans. Él **tiene razón**. *(He's right.)* Los jeans **cuestan** *(cost)* menos que la chaqueta y son buenos para todas las estaciones.

Did You Get It? *Práctica de vocabulario*

> **¡AVANZA!** **Goal:** Learn to talk about shopping, colors, and the seasons.

❶ Write the name of each article of clothing.

1. _____
2. _____
3. _____
4. _____
5. _____

6. _____
7. _____
8. _____
9. _____
10. _____

❷ Choose a logical response to each question.

1. ¿Te gusta ir de compras? ____
2. ¿Necesitas dinero? ____
3. ¿Tienes frío? ____
4. ¿Llevas una camiseta? ____
5. ¿Te gusta el sombrero? ____
6. ¿Tienes euros? ____
7. ¿Tienes un color favorito? ____
8. ¿Compras tú la blusa? ____

a. Sí, llevo un gorro.
b. Sí, me gusta ir al centro comercial.
c. No, tengo dólares.
d. No, tengo una blusa nueva en casa.
e. Sí, tengo que pagar.
f. Sí, tengo calor.
g. No, es feo.
h. Sí, el marrón.

3 What color and season do you usually associate with . . .

1. Valentine's Day? _____

2. the hot sun? _____

3. a pumpkin? _____

4. snow? _____

5. grass? _____

6. flowers? _____

4 Use the words in the box to complete the conversation.

una chaqueta   feo   una camiseta   tengo frío   anaranjado   las estaciones   llevas   el verano

—¿Te gusta el invierno?

—Sí, me gusta mucho, pero siempre _____ .

—¿Qué _____ durante el invierno?

—Llevo pantalones y _____ . También llevo un gorro.

—¿Un gorro? ¿Cómo es?

—Es negro y _____ .

—Ay, ¿no es _____ ?

—No, es bonito y me gusta mucho.

—Y en _____ , ¿qué llevas?

—Normalmente llevo pantalones cortos y _____ .

—¿Y jeans? ¿No llevas jeans en el verano?

—¡Sí, llevo jeans en todas _____ !

5 Answer each question with a complete Spanish sentence.

1. ¿Te gusta comprar ropa nueva?

   _____

2. ¿Cuál es tu color favorito?

   _____

3. ¿Cuál es tu estación favorita?

   _____

4. ¿Qué ropa te gusta llevar en el invierno?

   _____

Did You Get It? *Presentación de gramática*

 ¡AVANZA!   **Goal:**   Learn how to conjugate stem-changing verbs like **tener** and **querer**.

Stem-changing verbs in the present tense

- Read the following sentences, paying attention to the boldfaced words.

Yo **quiero** comprar pantalones. (*I want to buy pants.*)

Tú **quieres** comprar una chaqueta. (*You want to buy a jacket.*)

Ramón **quiere** comprar zapatos. (*Ramón wants to buy shoes.*)

Antonio y yo **queremos** comprar camisetas. (*Antonio and I want to buy T-shirts.*)

Adela y tú **queréis** comprar pantalones cortos. (*Adela and you want to buy shorts.*)

¡Todos mis amigos **quieren** comprar jeans! (*All my friends want to buy jeans!*)

EXPLANATION: Some verbs change their stem in the present tense. A common stem change is **e** to **ie**. It occurs in all forms except **nosotros(as)** and **vosotros(as)**. Use the chart below as a quick reference for the conjugation of **querer** and **cerrar**.

Infinitive	querer *(to want)*	cerrar *(to close)*
yo	**quiero** *I want*	**cierro** *I close*
tú	**quieres** *you want*	**cierras** *you close*
él/ella/usted	**quiere** *he/she/you want(s)*	**cierra** *he/she/you close(s)*
nosotros(as)	**queremos** *we want*	**cerramos** *we close*
vosotros(as)	**queréis** *you want*	**cerráis** *you close*
ellos/ellas/ustedes	**quieren** *they/you want*	**cierran** *they/you close*

Other verbs that follow the same pattern as **querer** and **cerrar** include **pensar**
(to think, to plan), **empezar** *(to begin)*, **entender** *(to understand)*, and **preferir**
(to prefer).

Did You Get It? *Práctica de gramática*

> **¡AVANZA!**   **Goal:** Learn how to conjugate stem-changing verbs like **tener** and **querer**.

❶ Write the correct form of the verb with the subject given.

1. empezar   yo _____
    nosotros _____
    ellos _____

2. pensar   él _____
    vosotros _____
    ustedes _____

3. cerrar   Rodrigo _____
    los chicos _____
    la maestra _____

4. querer   mis amigos y yo _____
    Andrea y tú _____
    ella _____

5. entender   yo _____
    nosotros _____
    ellos _____

6. preferir   las chicas _____
    yo _____
    mis hermanos y yo _____

❷ Complete each sentence with the correct form of the verb in parentheses.

1. Pablo, César y yo _____ ir al centro comercial hoy. (**querer**)

2. Elena y Lucía también _____ que es una buena idea. (**pensar**)

3. ¿_____ tú ir con nosotros? (**querer**)

4. Lucía y yo _____ a comprar ropa nueva para el invierno. (**empezar**)

5. Nosotros _____ que hace mucho frío en el invierno. (**entender**)

6. Elena, tú siempre _____ la ropa blanca, ¿verdad? (**preferir**)

7. ¿_____ vosotras el gorro azul o el gorro amarillo? (**preferir**)

8. Yo _____ que la chaqueta verde es bonita. (**pensar**)

9. ¿No _____ tú que no me gusta el color verde? (**entender**)

10. Tenemos que comprar rápido. La tienda _____ a las ocho. (**cerrar**)

3 Complete each sentence in Spanish. Follow the model.

Modelo: Lucía y Ana *(prefer to go shopping)* _prefieren ir de compras._

1. Mi hermano *(wants to play sports on Saturday)* _____.

2. El centro comercial *(closes at ten)* _____.

3. Tú y Amalia *(do not understand the problem)* _____.

4. El traje azul es bonito. *(What do you think?)* _____.

5. Julia quiere ir a una tienda de ropa, *(but I prefer to go to the mall)* _____

_____.

6. Hace calor *(when summer begins)* _____.

4 Translate the following into Spanish.

1. She wants to buy the blue T-shirt.

_____

2. Do you (**tú**) think she's right?

_____

3. We close the store at eight o'clock.

_____

4. They prefer the blue pants.

_____

5. We have to go shopping tomorrow.

_____

6. Do you (**vosotros**) understand fashion?

_____

7. It is cold when winter begins.

_____

8. I think the brown shoes are pretty.

_____

Did You Get It? *Presentación de gramática*

> **¡AVANZA!**   **Goal:**   Learn how to use direct object pronouns.

Direct object pronouns

- **Direct objects** answer the question *whom?* or *what?* after a verb. The direct object can be a **noun** or a **pronoun**. Read the following sentences, paying attention to the boldfaced words.

Ana compra **el vestido**. ⟶ Ana **lo** compra.
*(Ana buys **the dress**.)*   *(Ana buys **it**.)*

Aldo prefiere **las camisas azules**. ⟶ Aldo **las** prefiere.
*(Aldo prefers **the blue shirts**.)*   *(Aldo prefers **them**.)*

EXPLANATION: Direct object pronouns are used to replace direct object nouns. In the first example above, **lo** is a direct object pronoun that replaces the direct object noun **el vestido**. In the second example, **las** is a direct object pronoun that replaces the direct object noun **las camisas**. Note that the direct object pronoun in Spanish is placed *before* the conjugated verb. Use the chart below as a quick reference for direct object pronouns.

Direct object pronouns	
Singular	**Plural**
me *(me)*	**nos** *(us)*
te *(you) (familiar)*	**os** *(you) (familiar)*
lo *(you/him/it) (formal)*	**los** *(you/them) (formal)*
la *(you/her/it) (formal)*	**las** *(you/them) (formal)*

- Read the following sentences, paying attention to the boldfaced words and to the placement of the direct object pronouns in Spanish.

Ana quiere comprar **el vestido**.
*(Ana wants to buy **the dress**.)*

Ana **lo** quiere comprar.
*(Ana wants to buy **it**.)*
Ana quiere comprar**lo**.

Luis quiere comprar **los zapatos**.
*(Luis wants to buy **the shoes**.)*

Luis **los** quiere comprar.
*(Luis wants to buy **them**.)*
Luis quiere comprar**los**.

EXPLANATION: Direct object pronouns are either placed *before* a conjugated verb or *attached* to an infinitive.

Did You Get It? *Práctica de gramática*

¡AVANZA!	**Goal:** Learn how to use direct object pronouns.

1 Circle the direct object pronoun in Spanish that you would use to replace the underlined words.

1. John helped <u>me</u>. las los me	**6.** Juan respects <u>all of them</u>. los la te
2. Alex borrowed <u>the book</u>. los lo os	**7.** We took <u>the children</u> to the park. nos los os
3. You understand <u>us</u>. me nos las	**8.** I understand <u>you and Jane</u>. nos te os
4. She bought <u>the blouse</u>. te la las	**9.** We see <u>the girls</u> at the mall. nos las os
5. Drea sees <u>her friend Lola</u>. te lo la	**10.** I understand <u>you</u>. nos te os

2 Replace the boldfaced words in each sentence with a direct object pronoun.

Modelo: Andrés compra **un traje**.

Andrés *lo* compra.

1. Los chicos prefieren **las camisas**.

Los chicos _____ prefieren.

2. Mi mamá compra **un vestido**.

Mi mamá _____ compra.

3. Luisa y yo necesitamos **los zapatos**.

Luisa y yo _____ necesitamos.

4. ¿Tienes **los euros**?

¿_____ tienes?

5. Miramos **la televisión**.

_____ miramos.

3 Change the sentences, using the model as a guide.

Modelo: Paco quiere comprar **los calcetines**. *Paco quiere comprarlos.*

Paco los quiere comprar.

1. Prefiero usar **la calculadora**.

_____

_____

2. Quieren comprar **los zapatos**.

_____

_____

3. Preferimos llevar **jeans**.

_____

_____

4. Piensan cerrar **la tienda** a las ocho.

_____

_____

5. ¿Vas a comprar **la blusa**?

_____

_____

4 Imagine that it's your birthday. Write four sentences about what you want and who is going to buy it. Follow the model.

Modelo: *Yo quiero una bicicleta.*

Mis padres van a comprarla. or *Mis padres la van a comprar.*

1. _____

_____

2. _____

_____

3. _____

_____

4. _____

_____

♻ ¿Recuerdas?

Numbers from 11 to 100

- Review the following numbers in Spanish.

once (eleven)	**dieciocho** (eighteen)	**cincuenta** (fifty)
doce (twelve)	**diecinueve** (nineteen)	**sesenta** (sixty)
trece (thirteen)	**veinte** (twenty)	**setenta** (seventy)
catorce (fourteen)	**veintiuno** (twenty-one)	**ochenta** (eighty)
quince (fifteen)	**treinta** (thirty)	**noventa** (ninety)
dieciséis (sixteen)	**treinta y uno** (thirty-one)	**cien** (one hundred)
diecisiete (seventeen)	**cuarenta** (forty)	

Práctica

1 How much does each item cost? Follow the model.

Modelo: *El sombrero cuesta veinte euros.*

    1.   **2.**   **3.**   **4.**   **5.**

1. _____
2. _____
3. _____
4. _____
5. _____

2 Add the numbers and give the total in Spanish.

1. doce + veintiuno = _____
2. treinta y cuatro + cuarenta y uno = _____
3. once + quince = _____
4. diecinueve + sesenta = _____
5. catorce + veintiséis = _____

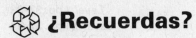 **¿Recuerdas?**

Tener

- Review the conjugation of **tener**.

tener (to have)	
yo **tengo** *I want*	nosotros(as) **tenemos** *we want*
tú **tienes** *you want*	vosotros(as) **tenéis** *you want*
él/ella/usted **tiene** *he/she/you want(s)*	ellos(as)/ustedes **tienen** *they/you want*

- **Tener** usually means *to have*. However, it is also used in expressions that in English would use the verb *to be*. Study the examples below.

Yo **tengo** razón.	*(I **am** right.)*
Tú **tienes** una buena idea.	*(You **have** a good idea.)*
Lucía **tiene** un vestido bonito.	*(Lucía **has** a pretty dress.)*
Nosotros **tenemos** calor.	*(We **are** hot.)*
Vosotras **tenéis** zapatos nuevos.	*(You **have** new shoes.)*
Ellos nunca **tienen** frío.	*(They **are** never cold.)*

Práctica

1 Translate the following into Spanish.

1. We are hot in the summer.

_____

2. Luis always thinks that he is right.

_____

3. Are you (**vosotros**) cold?

_____

4. My friends have new T-shirts.

_____

5. I am eighteen years old.

_____

6. Do you (**tú**) have the money to pay?

_____

♻ **¿Recuerdas?**

Level 1 pp. 32–33
Level 1A pp. 32–34

After-school activities

- Review the following after-school activities in Spanish.

andar en patineta *(to skateboard)*	**montar en bicicleta** *(to ride a bike)*
jugar al fútbol *(to play soccer)*	**pasear** *(to stroll)*
ir a una fiesta *(to go to a party)*	**practicar deportes** *(to play sports)*
ir de compras *(to go shopping)*	

Práctica

❶ Explain what each person is doing. The first one is done for you.

| 1. | 2. | 3. | 4. | 5. | 6. |

1. *Anda en patineta.*

2. _____

3. _____

4. _____

5. _____

6. _____

❷ Answer the following questions in complete Spanish sentences. Follow the model.

Modelo: **¿Qué ropa llevas**... cuando montas en bicicleta?

  Llevo jeans y una camiseta cuando monto en bicicleta.

1. cuando paseas? _____.

2. cuando practicas deportes? _____.

3. cuando andas en patineta? _____.

4. cuando vas de compras? _____.

5. cuando vas a una fiesta elegante? _____

_____

Did You Get It? *Presentación de vocabulario*

 ¡AVANZA!   **Goal:**   Learn to talk about places in town.

Downtown

• Study the following places to go and ways to get around.

el café *(café)*	**a pie** *(by foot)*
el centro *(center, downtown)*	**en coche** *(by car)*
el cine *(movie theater, the movies)*	**en autobús** *(by bus)*
el concierto *(concert)*	
el parque *(park)*	
el restaurante *(restaurant)*	**tomar** *(to take)*
el teatro *(theater)*	**encontrar** *(to find)*
la calle *(street)*	

At the restaurant

• Read these words and phrases related to eating out.

pedir *(to order, to ask for)*

el menú *(menu)*
la cuenta *(bill)*
la mesa *(table)*

el / la camarero(a) *(food server)*   **la propina** *(tip)*

Main Courses	*Sides*	*Dessert*
los platos principales *(main courses)*	**el arroz** *(rice)*	**de postre** *(for dessert)*
la carne *(meat)*	**el brócoli** *(broccoli)*	**el pastel** *(cake)*
el bistec *(beef steak)*	**el tomate** *(tomato)*	**el helado** *(ice cream)*
el pescado *(fish)*	**la ensalada** *(salad)*	
el pollo *(chicken)*	**la papa / la patata** *(potato)*	
	las verduras *(vegetables)*	

At the movies

• Read words and phrases related to the movies.

la ventanilla *(ticket window)*   **ver una película** *(to see a movie)*
las entradas *(tickets)*

At home

• After a long day in town, it's time to **dormir** *(to sleep)*.

Did You Get It? *Práctica de vocabulario*

> **¡AVANZA!** **Goal:** Learn to talk about places in town.

❶ What would you order in a restaurant if you wanted...

1. beef?	el brócoli	la ensalada	el bistec
2. a vegetable?	el pollo	el café	el brócoli
3. a salad?	la ensalada	el brócoli	el pescado
4. a beverage?	el pollo	el café	el pastel
5. a dessert?	el pastel	el pollo	la ensalada
6. fish?	el pollo	el pescado	la carne

❷ Match the following.

1. place where you go to eat _____   **a.** el postre

2. food server in a restaurant _____   **b.** el restaurante

3. list of food a restaurant offers _____   **c.** el camarero

4. main courses a restaurant offers _____   **d.** la propina

5. what you eat at the end of a meal _____   **e.** la ventanilla

6. what you leave a food server _____   **f.** los platos principales

7. where you go to see a movie _____   **g.** el cine

8. where you buy movie tickets _____   **h.** el menú

❸ Use a word from the box to explain where the people are going based on what they like to do. Use each word only once. The first one is done for you.

el centro   el teatro   el cine   el concierto   el café   el parque   el restaurante   la calle

1. A Juana le gusta ver películas. *Ella va al cine.*

2. A Antonio le gusta comer. _____

3. A las chicas les gusta ir de compras. _____

4. A mi mamá le gusta ver comedias. _____

5. A mí me gusta escuchar música. _____

6. A ti te gusta jugar al fútbol. _____

7. A usted le gusta tomar café. _____

8. A Lupe y a mí nos gusta pasear. _____

4 Use the words from the box to complete the following conversations.

entradas	película	en autobús	calle	centro	a pie

Ana: Hola, Luisa, ¿qué haces aquí en el _____ ?

Luisa: Compro unos regalos de cumpleaños. ¿Y tú?

Ana: Estoy con Felipe. Vamos al cine para ver la nueva _____ de Almodóvar. ¿Quieres ir con nosotros?

Luisa: Sí, pero el cine está en la _____ Alcalá. ¿Cómo vais a llegar allí?

Ana: Vamos _____ . A Felipe le gusta caminar.

Luisa: ¿No es mejor ir _____ ? Llegamos más temprano.

Ana: Tienes razón. Tenemos que llegar temprano para comprar las

_____ .

pescado	mesa	carne	pedir	platos principales	postre	brócoli	bistec	ensalada

Ana: Felipe, ¿quieres _____ el menú?

Felipe: Aquí está, sobre la _____ .

Ana: Bueno, ¿qué vamos a comer? _____ .

Luisa: Parece que tienen muchos _____ .

Ana: No como _____ . Voy a pedir el _____ y una

_____ de tomate.

Felipe: Yo sí como carne. Voy a pedir un _____ con patatas.

Luisa: Y yo voy a pedir el pollo y una verdura —sí, el _____ .

Felipe: Y de _____ , ¡pastel de chocolate para los tres!

5 Translate the following into Spanish.

1. Leyla and her sister are going by foot to the park.

_____

2. Alfonso is going to the theater by car.

_____

3. We are going to the movies by bus.

_____

Did You Get It? *Presentación de gramática*

Level 1 p. 223
Level 1A p. 252

 Goal: Learn about stem-changing verbs.

• Read the following sentences, paying attention to the boldfaced words.

Yo **puedo** ir al concierto. *(I **can** go to the concert.)*
Tú **puedes** ir al teatro. *(You **can** go to the theater.)*
Andrés **puede** ir al parque. *(Andrés **can** go to the park.)*

Ana y yo **podemos** ir al restaurante. *(Ana and I **can** go to the restaurant.)*
Álvaro y tú **podéis** ir al cine. *(Álvaro and you **can** go to the movies.)*
¡Todos mis amigos **pueden** ir al café! *(All my friends **can** go to the café!)*

EXPLANATION: Some verbs change their stem in the present tense. A common stem–change is **o** to **ue**. It occurs in every form except **nosotros(as)** and **vosotros(as)**. Study the chart below and use it as a quick reference for the conjugation of **poder**.

Infinitive	poder *(can, to be able)*
yo	**puedo** *(I can, am able to)*
tú	**puedes** *(you can, are able to)*
él/ella/usted	**puede** *(he/she/you can, is (are) able to)*
nosotros(as)	**podemos** *(we can, are able to)*
vosotros(as)	**podéis** *(you can, are able to)*
ellos/ellas/ustedes	**pueden** *(they/you can, are able to)*

Other verbs that follow the same pattern as **poder** include **dormir** *(to sleep),* **almorzar** *(to eat lunch),* **costar** *(to cost),* **encontrar** *(to find),* and **volver** *(to return).*

Did You Get It? *Práctica de gramática*

> **¡AVANZA!**　**Goal:**　Learn about stem-changing verbs.

① Write the correct form of the verb with the subject given.

1. poder

yo _____

tú _____

ellos _____

2. dormir

él _____

tú _____

vosotros _____

3. almorzar

Jorge _____

los estudiantes _____

Alicia y yo _____

4. costar

el autobús _____

las entradas _____

el postre _____

5. encontrar

tú _____

nosotras _____

ellas _____

6. volver

las chicas _____

yo _____

mis amigos y yo _____

② Complete each sentence with the correct form of the verb in parentheses.

1. Mi hermano _____ mucho. (**dormir**)

2. Mis padres _____ en el café. (**almorzar**)

3. Mis amigos y yo _____ a casa a las diez. (**volver**)

4. Ana no _____ las entradas para el concierto. (**encontrar**)

5. Yo _____ pagar la cuenta si ustedes quieren. (**poder**)

6. Vosotros _____ la calle donde está el teatro. (**encontrar**)

7. ¿A qué hora _____ tú del centro? (**volver**)

8. Los estudiantes _____ ocho horas por día. (**dormir**)

9. ¿_____ nosotros en el nuevo restaurante? (**almorzar**)

❸ Complete each sentence in Spanish. Follow the model.

Modelo: Alicia y Edna *(find the street)* _____ *encuentran la calle* .

1. Yo *(can eat the dessert)* _____ .

2. Ustedes *(eat lunch with my cousins)* _____ .

3. Rubén y tú *(return to the park to run)* _____ .

4. Alex *(sleeps during the film)* _____ .

5. Ellos *(cannot find the tickets)* _____ .

6. Nosotros *(eat lunch at 12:30)* _____ .

7. Tú *(return home early)* _____ .

8. Vosotras *(sleep until eleven)* _____ .

9. El vestido *(costs 125 dollars)* _____ .

❹ Translate the following into Spanish.

1. We find good shoes at the mall.

   _____

2. Can you (**vosotros**) sleep at my house tomorrow?

   _____

3. What time does he return from downtown?

   _____

4. I eat lunch with my family on Sundays.

   _____

5. The jeans cost thirty-five euros.

   _____

6. We sleep until ten o'clock.

   _____

7. You (**tú**) find the street on the map.

   _____

8. My parents return home at six o'clock today.

   _____

9. I can take the bus downtown.

   _____

Did You Get It? *Presentación de gramática*

> **¡AVANZA!**   **Goal:**   Learn about stem-changing verbs.

Stem-changing verbs: e ⟶ i

• Study the following sentences, paying attention to the boldfaced words.

Yo **sirvo** el desayuno. *(I serve breakfast.)*

Tú **sirves** el almuerzo. *(You serve lunch.)*

El camarero **sirve** la cena. *(The waiter serves dinner.)*

Lupe y yo **servimos** el plato principal. *(Lupe and I serve the main dish.)*

Vosotros **servís** las verduras. *(You serve the vegetables.)*

Ellos **sirven** las bebidas. *(They serve the beverages.)*

• Study these sentences, paying attention to the boldfaced words.

Yo **pido** un bistec. *(I ask for a beef steak.)*

Tú **pides** un pollo. *(You ask for chicken.)*

Linda **pide** un pescado. *(Linda asks for fish.)*

Nilda y yo **pedimos** una ensalada. *(Nilda and I ask for a salad.)*

Álvaro y tú **pedís** unas verduras. *(Álvaro and you ask for vegetables.)*

Mis padres **piden** la cuenta. *(My parents ask for the bill.)*

EXPLANATION: Another stem change in the present tense is **e** to **i**. It occurs in every form except **nosotros(as)** and **vosotros(as)**. Study the chart below and use it as a quick reference for the conjugation of **servir** and **pedir**.

Infinitive	servir *(to serve)*	pedir *(to ask for)*
yo	**sirvo** *I serve*	**pido** *I ask for*
tú	**sirves** *you serve*	**pides** *you ask for*
él/ella/usted	**sirve** *he/she/you serve(s)*	**pide** *he/she/you ask(s) for*
nosotros(as)	**servimos** *we serve*	**pedimos** *we ask for*
vosotros(as)	**servís** *you serve*	**pedís** *you ask for*
ellos/ellas/ustedes	**sirven** *they/you serve*	**piden** *they/you ask for*

Did You Get It? *Práctica de gramática*

> **¡AVANZA!**　**Goal:**　Learn about stem-changing verbs.

❶ Write the correct form of the verb with the subject given.

1. pedir

yo _____　　Pablo y tú _____

nosotros _____　　mis padres _____

ella _____　　tú _____

2. servir

él _____　　la camarera _____

vosotras _____　　tú _____

ustedes _____　　Alma y yo _____

❷ Complete the sentences with the correct form of the verb indicated.

servir　　**1.** Mi abuela _____ el desayuno.

2. Federico y tú _____ las bebidas.

3. ¿ _____ los camareros los postres ahora?

4. Yo _____ las verduras.

pedir　　**1.** Yo _____ el menú.

2. Mi amigo José _____ el pescado.

3. ¿ _____ nosotros un refresco?

4. Las chicas _____ el pastel.

❸ Write sentences using **servir** or **pedir**. Follow the model.

Modelo:　Mis abuelos / la cena (**servir**)　　*Mis abuelos sirven la cena.*

1. Maribel / patatas (**pedir**) _____

2. mi hermano y yo / tomates (**pedir**) _____

3. vosotros / las verduras (**servir**) _____

4. yo / el postre (**pedir**) _____

5. tú / el pastel (**servir**) _____

4 What do they order? Write a logical response using **pedir**. Follow the model.

Modelo: Yo soy vegetariano. *Yo pido una ensalada.*

1. Elena tiene sed.

_____

2. A mis amigos les gusta la carne.

_____

3. Francisco quiere un postre.

_____

4. Tú prefieres comer verduras.

_____

5. A vosotros os gustan las bebidas calientes *(hot)*.

_____

6. A mí me gustan las bebidas frías.

_____

5 Complete the paragraph with the correct form of **pedir** or **servir**.

Cuando entramos al restaurante, mi padre **1.** _____ una mesa grande y mi

madre **2.** _____ el menú. El restaurante **3.** _____ muchos

platos principales. ¡Todos parecen ricos! Mi hermano y yo **4.** _____ un

bistec. Mis papás **5.** _____ pescado. El camarero **6.** _____ la

comida rápido. Después, todos **7.** _____ postre. Mis padres y mis hermanos

8. _____ helado, pero yo **9.** _____ el pastel. Finalmente, mi

papá **10.** _____ la cuenta.

6 Translate the following into Spanish.

1. We order a lot of food.

_____

2. Are you (**tú**) ordering a beverage?

_____

3. The waiter serves chicken with rice.

_____

4. I serve the cake for dessert.

_____

5. They serve breakfast early.

_____

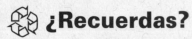

¿Recuerdas?

Ir a + infinitive

- Remember that to say what you *are going to do* you use **ir a + infinitive**. Read the following sentences, paying attention to the boldfaced words.

Yo **voy a ver** la película.	(*I am going to see* the movie.)
Tú **vas a ir** de compras.	(*You are going to go* shopping.)
Él **va a comprar** una camisa.	(*He is going to buy* a shirt.)

Nosotros **vamos a correr** en el parque.	(*We are going to run* in the park.)
Vosotros **vais a comer** el almuerzo.	(*You are going to eat* lunch.)
Ellos **van a escuchar** música.	(*They are going to listen to* music.)

Práctica

What is everyone going to do in the restaurant today? Use **ir a + infinitive**. Follow the model.

Modelo: mi papá / comer el almuerzo   *Mi papá va a comer el almuerzo.*

1. los camareros / preparar las mesas

_____

2. mi mamá y su amiga / pedir una ensalada

_____

3. mis amigos y yo / pedir un bistec

_____

4. yo / pedir papas fritas también

_____

5. el camarero / servir la comida

_____

6. Ana y tú / pedir un plato principal

_____

7. todos / pedir un postre

_____

8. tú / pedir la cuenta

_____

¿Recuerdas?

Direct object pronouns

- Direct object pronouns replace direct object nouns. In Spanish, pronouns are usually placed *before* a conjugated verb. Read the sentences, paying attention to the boldfaced words.

Juan pide **la ensalada.**   Juan **la** pide.

*(Juan orders **the salad**.)*   *(Juan orders **it**.)*

Arturo y yo pedimos **el bistec**.   Arturo y yo **lo** pedimos.

*(Arturo and I order **the steak**.)*   *(Arturo and I order **it**.)*

- Study the chart below and use it as a quick reference for direct object pronouns.

Direct Object Pronouns	
me *(me)*	**nos** *(us)*
te *(you)*	**os** *(you)*
lo *(him/you/it — masculine)*	**los** *(them/you — masculine)*
la *(her/you/it — feminine)*	**las** *(them/you — feminine)*

Práctica

Answer each question using a direct object pronoun in place of the underlined words. Follow the model.

Modelo: ¿Pides tú la carne ?   *Sí, la pido.*   or *No, no la pido.*

1. ¿Pedís Elisa y tú el pollo?

   _____

2. ¿Sirven ustedes las ensaladas?

   _____

3. ¿Pide Enrique el pescado?

   _____

4. ¿Sirve el camarero el pastel?

   _____

5. ¿Pido los tomates?

   _____

Level 1 p. 198
Level 1A p. 261

♻ ¿Recuerdas?

Expressions with tener

• Read the following expressions with **tener**.

Expressions with **tener**			
tener calor	*(to be hot)*	tener suerte	*(to be lucky)*
tener frío	*(to be cold)*	tener hambre	*(to be hungry)*
tener razón	*(to be right)*	tener sed	*(to be thirsty)*

Práctica

❶ Use the expressions in the box above to write a logical explanation for each situation. Follow the model.

Modelo: Andrea lleva pantalones cortos y una camiseta.

Ella tiene calor.

1. Los chicos comen mucho.

   _____

2. Tú llevas una chaqueta y un gorro.

   _____

3. Mis amigos y yo pedimos un refresco muy frío.

   _____

4. Linda va a España durante el verano.

   _____

5. Ellos encuentran un error en la cuenta.

   _____

6. Yo pido un vaso de agua.

   _____

❷ Complete each sentence with an appropriate response. Follow the model.

Modelo: Cuando tengo calor... _bebo un refresco._

1. Cuando tengo frío... _____

2. Cuando tengo sed... _____

3. Cuando tengo hambre... _____

PRÁCTICA DE VOCABULARIO

SHOPPING, pp. 2–3

1

1. la blusa
2. los pantalones cortos
3. el vestido
4. la camisa
5. la chaqueta
6. los jeans (los pantalones)
7. los zapatos
8. el gorro
9. la camiseta
10. los calcetines

2

1. b
2. e
3. a
4. f
5. g
6. c
7. h
8. d

3

1. rojo / invierno
2. amarillo / el verano
3. anaranjado / el otoño
4. blanco / el invierno
5. verde / el verano
6. rojo / blanco / azul / amarillo / anaranjado / verde / la primavera

4 —¿Te gusta el invierno?

—Sí, me gusta mucho, pero siempre **tengo frío**.

—¿Qué **llevas** durante el invierno?

—Llevo pantalones y **una chaqueta**. También llevo un gorro.

—¿Un gorro? ¿Cómo es?

—Es negro y **anaranjado**.

—Ay, ¿no es **feo**?

—No, es bonito y me gusta mucho.

—Y en **el verano**, ¿qué llevas?

—Normalmente llevo pantalones cortos y **una camiseta**.

—¿Y jeans? ¿No llevas jeans en el verano?

—¡Sí, llevo jeans en todas **las estaciones**!

5 Answers will vary.

Did You Get It? Answer Key

PRÁCTICA DE GRAMÁTICA

STEM-CHANGING VERBS IN THE
PRESENT TENSE, pp. 5–6

1. empiezo; empezamos; empiezan
2. piensa; pensáis; piensan
3. cierra; cierran; cierra
4. queremos; queréis/quieren; quiere
5. entiendo; entendemos; entienden
6. prefieren; prefiero; preferimos

❷

1. queremos
2. piensan
3. Quieres
4. empezamos
5. entendemos
6. prefieres
7. Preferís
8. pienso
9. entiendes
10. cierra

❸

1. quiere practicar deportes el sábado
2. cierra a las diez
3. no entendéis/entienden el problema
4. ¿Qué piensas tú?/¿Qué piensa usted?
5. pero yo prefiero ir al centro comercial
6. cuando empieza el verano

❹

1. Ella quiere comprar la camiseta azul.
2. ¿Piensas que ella tiene razón?
3. Cerramos la tienda a las ocho.
4. Prefieren los pantalones azules.
5. Tenemos que ir de compras mañana.
6. ¿Entendéis la moda?
7. Hace frío cuando empieza el invierno.

8. Pienso que los zapatos marrones son bonitos.

PRÁCTICA DE GRAMÁTICA

DIRECT OBJECT PRONOUNS, pp. 8–9

❶

1. me
2. lo
3. nos
4. la
5. la
6. los
7. los
8. os
9. las
10. te

❷

1. las
2. lo
3. los
4. Los
5. La

❸

1. Prefiero usarla. La prefiero usar.
2. Quieren comprarlos. Los quieren comprar.
3. Preferimos llevarlos. Los preferimos llevar.
4. Piensan cerrarla a las ocho. La piensan cerrar a las ocho.
5. ¿Vas a comprarla? ¿La vas a comprar?

❹ Answers will vary.

Did You Get It? Answer Key

 ¿RECUERDAS?

NUMBERS FROM 11 TO 100

Práctica p. 10

❶

1. Los pantalones cortos cuestan veinticinco euros.
2. La chaqueta cuesta noventa y ocho euros.
3. El vestido cuesta cincuenta y tres euros.
4. La camiseta cuesta dieciocho euros.
5. Los zapatos cuestan cuarenta euros.

❷

1. treinta y tres
2. setenta y cinco
3. veintiséis
4. setenta y nueve
5. cuarenta

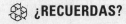 **¿RECUERDAS?**

TENER

Práctica p. 11

❶

1. Nosotros tenemos calor en el verano.
2. Luis siempre piensa que tiene razón.
3. ¿Tenéis vosotros frío?
4. Mis amigos tienen camisetas nuevas.
5. Yo tengo dieciocho años.
6. ¿Tienes el dinero para pagar?

 ¿RECUERDAS?

AFTER-SCHOOL ACTIVITIES

Práctica p. 12

❶

1. *Anda en patineta.*
2. Juegan al fútbol. / Practican deportes.
3. Van a una fiesta.
4. Montan en bicicleta.
5. Pasean.
6. Van de compras.

❷

1. Llevo... cuando paseo.
2. Llevo... cuando practico deportes.
3. Llevo... cuando ando en patineta.
4. Llevo... cuando voy de compras.
5. Llevo... cuando voy a una fiesta elegante.

Did You Get It? Answer Key

PRÁCTICA DE GRAMÁTICA

GETTING AROUND TOWN & AT HOME, pp. 14–15

❶

1. el bistec
2. el brócoli
3. la ensalada
4. el café
5. el pastel
6. el pescado

❷

1. b
2. c
3. h
4. f
5. a
6. d
7. g
8. e

❸

1. *Ella va al cine.*
2. Él va al restaurante.
3. Ellas van al centro.
4. Ella va al teatro.
5. Yo voy a un concierto.
6. Tú vas al parque.
7. Usted va al café.
8. Nosotros vamos a la calle.

❹ Downtown

Ana: Hola, Luisa, ¿qué haces aquí en el **centro**?

Luisa: Compro unos regalos de cumpleaños. ¿Y tú?

Ana: Estoy con Felipe. Vamos al cine para ver la nueva **película** de Almodóvar. ¿Quieres ir con nosotros?

Luisa: Sí, pero el cine está en la **calle** Alcalá. ¿Cómo vais a llegar allí?

Ana: Vamos **a pie**. A Felipe le gusta caminar.

Luisa: ¿No es mejor ir **en autobús**? Llegamos más temprano.

Ana: Tienes razón. Tenemos que llegar temprano para comprar las **entradas**.

Ana: Felipe, ¿quieres **pedir** el menú?

Felipe: Aquí está, sobre la **mesa**.

Ana: Bueno, ¿qué vamos a comer?

Luisa: Parece que tienen muchos **platos principales**.

Ana: No como **carne**. Voy a pedir el **pescado** y una **ensalada** de tomate.

Felipe: Yo sí como carne. Voy a pedir un **bistec** con patatas.

Luisa: Y yo voy a pedir el pollo y una verdura —sí, el **brócoli**.

Felipe: Y de **postre**, ¡ pastel de chocolate para los tres!

❺

1. Leyla y su hermana van a pie al parque.
2. Alfonso va al teatro en coche.
3. Vamos al cine en autobús.

Did You Get It? Answer Key

PRÁCTICA DE GRAMÁTICA

STEM-CHANGING VERBS: O ⟶ UE, pp. 17–18

1. puedo; puedes; pueden
2. duerme; duermes; dormís
3. almuerza; almuerzan; almorzamos
4. cuesta; cuestan; cuesta
5. encuentras; encontramos; encuentran
6. vuelven; vuelvo; volvemos

❷

1. duerme
2. almuerzan
3. volvemos
4. encuentra
5. puedo
6. encontráis
7. vuelves
8. duermen
9. Almorzamos

❸

1. puedo comer el postre
2. almuerzan con mis primos
3. volvéis / vuelven al parque para correr
4. duerme durante la película
5. no pueden encontrar las entradas
6. almorzamos a las doce y media
7. vuelves a casa temprano
8. dormís hasta las once
9. cuesta ciento veinticinco dólares

❹

1. Encontramos buenos zapatos en el centro comercial.
2. ¿Podéis dormir en mi casa mañana?
3. ¿A qué hora vuelve del centro?
4. Almuerzo con mi familia los domingos.
5. Los jeans cuestan treinta y cinco euros.
6. Nosotros dormimos hasta las diez.

7. Tú encuentras la calle en el mapa.
8. Mis padres vuelven a casa a las seis hoy.
9. Yo puedo tomar el autobús al centro.

PRÁCTICA DE GRAMÁTICA

STEM-CHANGING VERBS: E ⟶ I, pp. 20–21

1. yo pido; nosotros pedimos; ella pide; Pablo y tú pedís / piden; mis padres piden; tú pides
2. él sirve; vosotras servís; ustedes sirven; la camarera sirve; tú sirves; Alma y yo servimos

❷

servir 1. sirve; **2.** servís / sirven; **3.** Sirven; **4.** sirvo;

pedir 1. pido; **2.** pide; **3.** Pedimos; **4.** piden

1. Maribel pide patatas.
2. Mi hermano y yo pedimos tomates.
3. Vosotros servís las verduras.
4. Yo pido el postre.
5. Tú sirves el pastel.

❹ Answers may vary slightly.

1. Ella pide un refresco.
2. Ellos piden un bistec.
3. Él pide un pastel.
4. Tú pides brócoli.
5. Vosotros pedís café.
6. Yo pido leche / un refresco.

Did You Get It? Answer Key

❺

Cuando entramos al restaurante, mi padre **pide** una mesa grande y mi madre **pide** el menú. El restaurante **sirve** muchos platos principales. ¡Todos parecen ricos! Mi hermano y yo **pedimos** un bistec. Mis papás **piden** pescado. El camarero **sirve** la comida rápido. Después, todos **pedimos** postre. Mis padres y mis hermanos **piden** helado, pero yo **pido** el pastel. Finalmente, mi papá **pide** la cuenta.

❻

1. Nosotros pedimos mucha comida.
2. ¿Pides tú una bebida?
3. El camarero sirve el pollo con arroz.
4. Yo sirvo el pastel de postre.
5. Ellos sirven el desayuno temprano.

¿RECUERDAS?

IR A + INFINITIVE

Práctica p. 22

1. Los camareros van a preparar las mesas.
2. Mi mamá y su amiga van a pedir una ensalada.
3. Mis amigos y yo vamos a pedir un bistec.
4. Yo voy a pedir papas fritas también.
5. El camarero va a servir la comida.
6. Ana y tú vais / van a pedir un plato principal.
7. Todos vamos / van a pedir un postre.
8. Tú vas a pedir la cuenta.

¿RECUERDAS?

DIRECT OBJECT PRONOUNS

Práctica p. 23

1. Sí, lo pedimos. / No, no lo pedimos.
2. Sí, las servimos. / No, no las servimos.
3. Sí, lo pide. / No, no lo pide.
4. Sí, lo sirve. / No, no lo sirve.
5. Sí, los pides. / No, no los pides.

¿RECUERDAS?

EXPRESSIONS WITH **TENER**

Práctica p. 24

❶

1. Ellos tienen hambre.
2. Tú tienes frío.
3. Nosotros tenemos calor.
4. Ella tiene suerte.
5. Ellos tienen razón.
6. Yo tengo sed.

❷ Answers will vary.

¡Lotería! *Práctica de vocabulario*

Play this game alone or with a friend. Use beans or coins to mark your answers to the clues below. The player with the most items marked wins the game.

Clues:

1. Muchas veces se usan con un cinturón (*belt*). _____
2. Te lo pones en la cabeza cuando hace frío. _____
3. Las mujeres se lo ponen con medias (*pantyhose*). _____
4. Te los pones en los pies y a veces son de piel. _____
5. Son suavecitos (*soft*) y te los pones en los pies. _____
6. Mucha gente se los pone cuando hace calor. _____
7. Los jugadores se ponen estas. _____
8. Las mujeres se ponen esta con una falda (*skirt*). _____

Parejas *Vocabulario en contexto*

First, identify the following two-word combinations from the **Vocabulario**, using the letters given as clues. Then, use the completed words to figure out the answer to the bonus question.

1. ¿ ___ ___ ___ n t ___   ___ ___ e s ___ ___ ?
   1   2   3   4   5   6   7   8

2. ___ ___ ___ ___ a l ___ ___ ___ ___ ___ ___ r t ___ ___
   9   10 11 12   13 14 15 16 17 18   19 20

3. ___ e n ___ ___ ___   ___ ___ ___ e r ___ ___ ___ ___
   21   22 23 24   25 26 27   28 29 30 31

4. ___ ___ ___ e r ___ a z ___ ___
   32 33 34   35   36 37

BONUS: This is something that everybody, everywhere wants.

___ ___ ___ ___ ___   ___ ___ ___ ___ ___ ___ ___ ___
15 20 32 10 23   5 18 11 22 33 37   7 26

UNIDAD 4 Lección 1

Practice Games

32

Unidad 4, Lección 1
Practice Games

¡Avancemos! 1
Unit Resource Book

¡Qué día! *Práctica de gramática 1*

Read the color combinations and write the name of the holiday on the line. If you get stuck, use the clues! The season for each holiday is under the color combination.

1. Azul, Rojo, Blanco _____
   (clue: el verano)

2. Marrón, Amarillo, Anaranjado _____
   (clue: el otoño)

3. Rojo y Blanco _____
   (clue: el invierno)

4. Azul y Blanco _____
   (clue: el invierno)

5. Anaranjado y Negro _____
   (clue: el otoño)

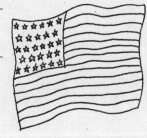

6. Rojo y Verde _____
   (clue: el invierno)

7. Verde y Blanco _____
   (clue: la primavera)

8. Amarillo y Verde _____
   (clue: la primavera)

¡Vamos de compras! *Gramática en contexto*

Lupe and Daniela go shopping. They ask the clerk and each other various questions.
Fill in the word puzzle with the correct conjugations of the verbs. Then put the letters
in the boxes together to find out what everyone likes to buy.

1. Señorita, ¿ _____ (pensar) que esta blusa me queda?

2. Lupe, ¿ _____ (querer) medirte (*try on*) la blusa?

3. Daniela, ¿ _____ (entender) lo que dice la etiqueta?

4. Señorita, _____ (preferir) esta blusa. ¿Puedo medirme la blusa?

5. Daniela, ¿a qué hora _____ (empezar) las rebajas (*the sales*)?

6. Señorita, ¿ _____ (vender) vaqueros aquí?

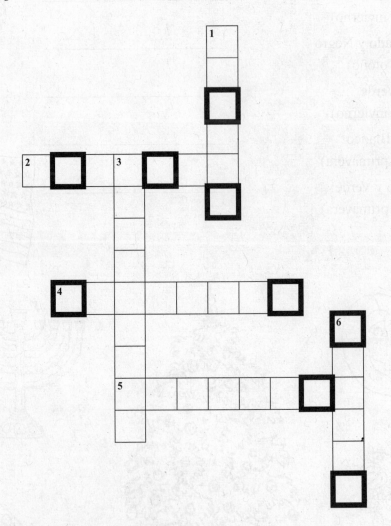

QUESTION: ¿Qué nos gusta comprar? R ___ ___ ___ ___ n ___ ___ ___ ___

¿Qué quiere Maite? *Práctica de gramática 2*

Maite is shopping with her mother. Maite's mother keeps asking her what she wants. Write the names and articles of the items on the line. Then, find the appropriate direct object pronoun in the box and put an X through it. Only one item does not have a direct object pronoun in the box. That is what Maite decides to purchase.

Maite, ¿tú quieres...?

_____

_____

_____

_____

_____

_____

_____

_____

Maite no ____ compra.			
lo	las	los	las
lo	los	los	

¿Qué compra Maite? Maite compra _____ .

Let's go shopping! *Todo junto*

Nina and Marisa are twin sisters who love to shop together, but hate to dress the same. Nina only buys clothes and colors that contain the letter "N", and Marisa only buys clothes and colors that contain the letter "M". Find all of the words from the **Vocabulario** that each sister would buy.

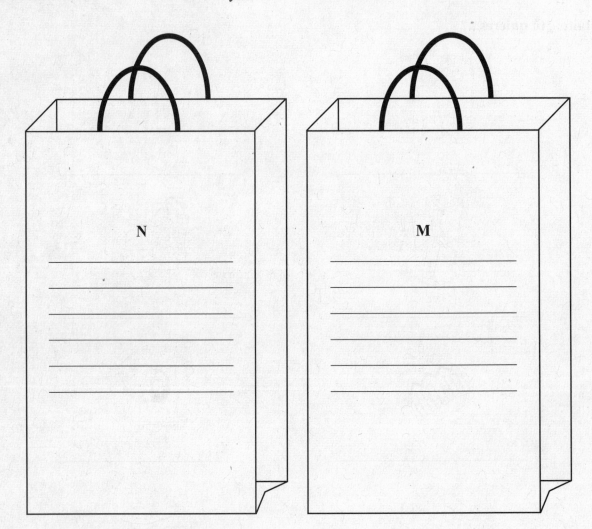

N

M

There is one thing on both sisters' lists. It is: _____

UNIDAD 4 Lección 1

Practice Games

¿Qué hacen? *Lectura cultural*

Draw lines connecting the parts of the sentence to find out what these people are doing. Start with the subject and verb stem in the ◇ and draw a line to the correct verb in the ◯, then draw a line to the ▽ that contains the rest of the sentence. Then, write the complete sentence below.

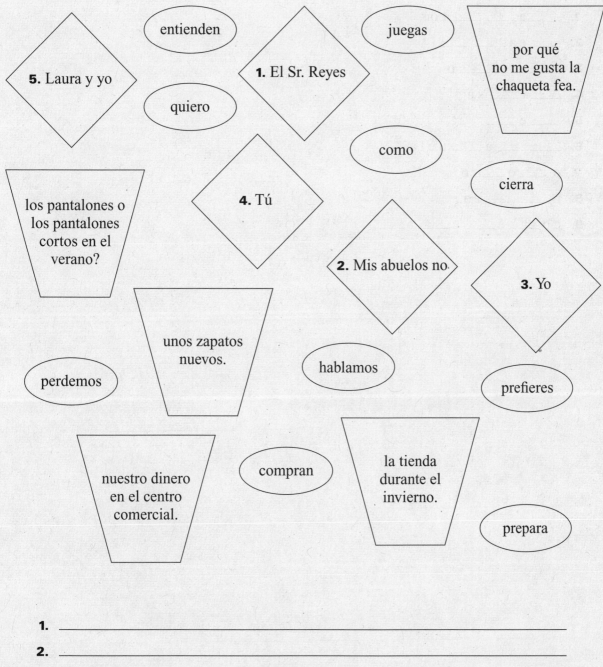

1. _____

2. _____

3. _____

4. _____

5. _____

El alfabeto: A a Z *Repaso*

Use the letters of the alphabet to complete these nine words from Unit 4, Lesson 1, **Vocabulario**. Use each letter only once.

A B C D E F G H I J L M N Ñ O P Q R S T U V Z

1. ___ a ___ ___ t o s
2. ___ e a ___ ___
3. ___ e s t i ___ o
4. ___ l ___ s a
5. ___ e ___
6. ___ ___ a ___ u e t a
7. o ___ o ___ o
8. n ___ ___ r o
9. c o ___ e ___ c ___ a ___

UNIDAD 4 Lección 1

Practice Games

El Laberinto *Práctica de vocabulario*

Make your way through the maze, stopping at each of the numbered areas. On the lines below, write the words from the **Vocabulario** that you found in each of the areas.

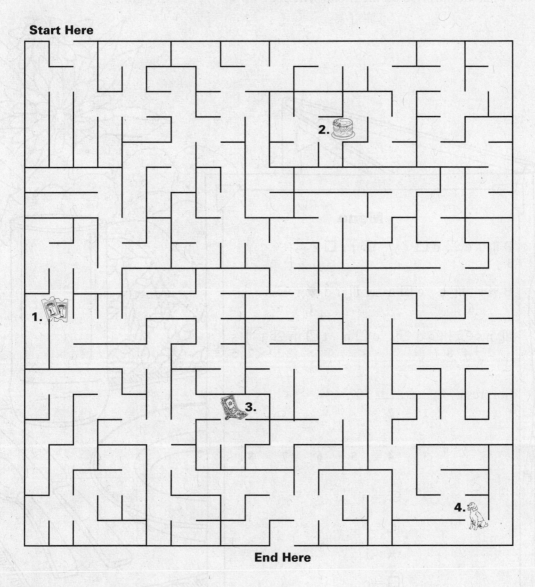

Start Here

End Here

Clues:

1. El cine: _____

2. El café: _____

3. La calle: _____

4. El centro comerical: _____

¡Vamos a comer! *Vocabulario en contexto*

The Spanish Club is having a dinner for its members. Decode the items on the menu using the code on the left. Then put the letters with the numbers below them in order to find out what the surprise on the menu will be.

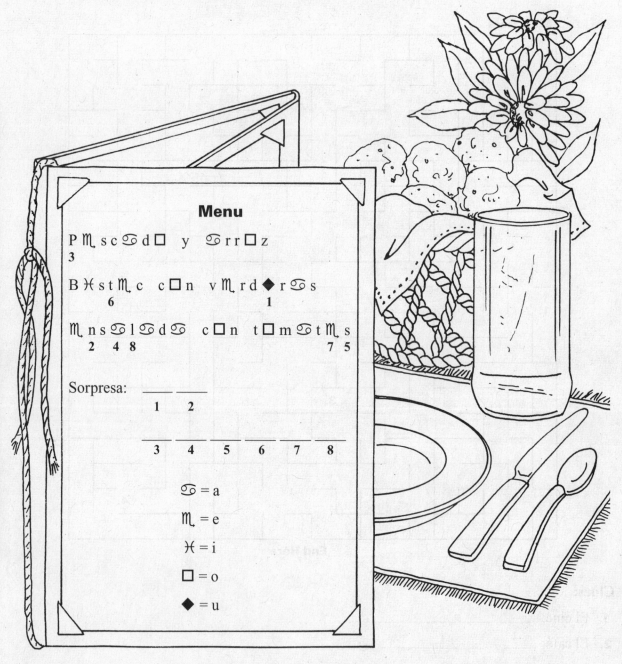

Menu

P ♏ s c ♋ d □ y ♋ r r □ z
3

B ♓ s t ♏ c c □ n v ♏ r d ◆ r ♋ s
6   1

♏ n s ♋ l ♋ d ♋ c □ n t □ m ♋ t ♏ s
2 4 8   7 5

Sorpresa: ____ ____
           1   2

           ____ ____ ____ ____ ____ ____
           3   4   5   6   7   8

♋ = a

♏ = e

♓ = i

□ = o

◆ = u

A meal to remember! *Práctica de gramática 1*

There's something wrong with this restaurant! Look at the picture and write sentences about all of the wrong things you find.

1. _____
2. _____
3. _____
4. _____
5. _____
6. _____
7. _____

Tic-Tac-Toe *Gramática en contexto*

Alone or with a friend take turns finding the correct stem changing verbs in the boxes to see who wins at Tic-Tac-Toe. Place an **X** on the board over the correct answer for number 1. Then allow a partner to place an **O** over number 2. Play until someone has won.

X	**O**
1. Yo _____ pollo de plato principal.	**2.** Papá no _____ el lugar.
3. Ellos _____ en su cama (*bed*).	**4.** Nosotros _____ comer ahora (*now*).
5. El pastel _____ cuatro dólares.	**6.** El camarero _____ la comida.
7. Nosotros _____ del cine a las cinco.	**8.** Tú _____ en la cafetería.

sirve	volvemos	podemos
encuentra	cuesta	pido
almuerzas	vuelven	duermen

Who won? _____

¿Qué piden y sirven? *Práctica de gramática 2*

Use the clues to fill in the missing letters of the **e** to **i** stem changing verbs to find out about the birthday dinner in the restaurant.

1. Anita y yo p ___ d ___ ___ ___ ___ arroz con pollo para la cena.

2. El camarero ___ i r ___ ___ primero la ensalada.

3. Mamá p ___ ___ ___ pescado.

4. Dos camareros ___ i ___ v ___ ___ los platos principales.

5. Nosotros p ___ d ___ ___ ___ ___ pastel al final.

6. Nosotros s ___ r v ___ ___ ___ ___ el pastel.

7. Yo ___ i ___ ___ la cuenta.

Sopa de palabras *Todo junto*

Find the six downtown locations hidden in the word search, then write them on the lines below. Words run horizontal, vertical, and diagonal.

```
L  B  C  A  L  N  J  É  Y  C  Y  X  A  Y
A  B  C  R  O  H  T  E  A  T  R  O  H  I
G  J  A  E  W  U  J  G  M  E  R  C  N  C
A  B  F  S  R  A  O  É  L  Z  P  M  Y  Y
A  A  N  T  E  C  Q  L  E  R  A  A  É  O
L  C  M  A  S  É  A  Q  N  R  R  C  E  C
P  T  M  U  C  S  N  L  T  Y  Q  L  C  U
E  Y  V  R  I  B  G  P  L  R  U  L  H  R
Q  U  G  A  D  E  C  I  N  E  E  J  A  S
U  D  A  N  E  H  L  N  J  A  G  P  S  P
E  O  L  T  C  H  E  F  L  F  L  D  O  A
K  V  Z  E  V  C  É  R  C  S  C  A  F  É
```

1. _____   2. _____

3. _____   4. _____

5. _____   6. _____

¿Qué quieres? *Lectura cultural*

Milo is out to dinner with his family and the waiter has forgotten who ordered which dish. Fill in the blanks below with information from the picture to help the waiter serve the food correctly.

Camarero: ¿El pollo y el pan?

_____: ¡Aquí!

Camarero: ¿El bistec y la patata?

_____: ¡Aquí!

Camarero: ¿_____?

   Abuela: ¡Aquí!

Camarero: ¿_____?

    Mamá: ¡Aquí!

Camarero: ¿La pizza?

_____: ¡Aquí!

Camarero: ¿_____?

     Milo: ¡Aquí!

Citas *Repaso*

Your friend Roni has a blind date with Sara on Saturday, and he needs help figuring out what they are going to do. Look at Roni and Sara's likes and dislikes and then mark the best option from the list below with an X.

A Roni le gusta...
... la música
... pasear
... el centro
... jugar el fútbol
... la carne

y no le gusta...
... ir de compras
... ver películas
... el invierno

A Sara le gusta...
... el color azul
... tocar la guitarra
... el postre
... hablar por teléfono
... el cine

y no le gusta...
... el autobús
... las verduras
... los deportes

_____ **1.** Roni y Sara van al restaurante a comer ensalada. Después van en coche al centro comercial para ir de compras.

_____ **2.** Roni y Sara toman el autobús al centro y ven una película en el cine. Después ellos comen pastel en el café.

_____ **3.** Roni y Sara van a pie al centro y ven un concierto de música rock. Después ellos hablan y pasean por el parque.

_____ **4.** Roni y Sara toman el autobús al teatro en el centro. Después ellos van a una fiesta para el abuelo de Roni.

_____ **5.** Roni y Sara juegan fútbol con los amigos de Roni. Después ellos comparten una pizza.

Practice Games Answer Key

PAGE 31
Práctica de vocabulario

1. pantalones
2. gorro
3. vestido
4. zapatos
5. calcetines
6. pantalones cortos
7. camisetas
8. blusa

PAGE 32
Vocabulario en contexto

1. ¿Cuánto cuesta?
2. pantalones cortos
3. centro comercial
4. tener razón

Bonus: estar contento

PAGE 33
Práctica de gramática 1

1. Fourth of July
2. Thanksgiving
3. Valentine's Day
4. Hanukkah
5. Halloween
6. Christmas
7. St. Patrick's Day
8. Easter

PAGE 34
Gramática en contexto

1. piensa
2. quieres
3. entiendes
4. prefiero
5. empiezan
6. venden

Answer to question: ropa nueva

Practice Games Answer Key

PAGE 35

Práctica de gramática 2

unos jeans
un vestido
unas chaquetas
unos calcetines
un gorro
una camiseta
unas blusas
unos zapatos

Maite compra una camiseta.

PAGE 36

Todo junto

N: los jeans, los pantalones, los calcetines,
   anaranjado, marrón, blanco, negro
M: la camisa, la camiseta, el sombrero,
   amarillo, marrón
On both sisters' list: marrón

PAGE 37

Lectura cultural

1. El Sr. Reyes cierra la tienda durante el invierno.
2. Mis abuelos no entienden por qué no me gusta la chaqueta fea.
3. Yo quiero unos zapatos nuevos.
4. ¿Tú prefieres los pantalones o los pantalones cortos en el verano?
5. Laura y yo perdemos nuestro dinero en el centro comercial.

PAGE 38

Repaso de la lección

1. zapatos
2. jeans
3. vestido
4. blusa
5. feo
6. chaqueta
7. otoño
8. negro
9. comercial

Practice Games Answer Key

Práctica de vocabulario

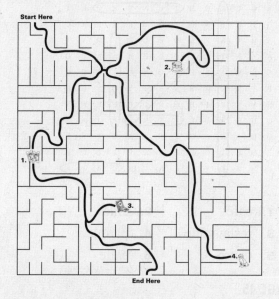

1. las entradas
2. el pastel
3. el dinero
4. el perro

PAGE 40

Vocabulario en contexto

Pescado y arroz; Bistec con verduras; Ensalada con tomates

Sorpresa: Un pastel

PAGE 41

Práctica de gramática 1

1. El menú dice que la carne es de postre.
2. El menú dice que el pollo es una verdura.
3. El camarero lleva pantalones cortos y una camiseta.
4. El camarero sirve un zapato.
5. Hay una ventanilla en el restaurante.
6. El brócoli está encima de la mesa como una flor.
7. Las personas duermen debajo de la mesa.

UNIDAD 4 Lección 2

Practice Games Answer Key

Practice Games Answer Key

PAGE 42
Gramática en contexto

O sirve	X volvemos	*O* podemos
O encuentra	X cuesta	X pido
O almuerzas	vuelven	X duermen

O wins.

PAGE 43
Práctica de gramática 2

1. pedimos
2. sirve
3. pide
4. sirven
5. pedimos
6. servimos
7. pido

PAGE 44
Todo junto

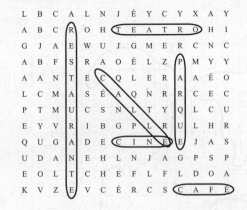

1. café
2. cine
3. restaurante
4. parque
5. teatro
6. calle

PAGE 45
Lectura cultural

Luisa, Papá, Las verduras y el arroz, La ensalada y el pescado, Otto, El pastel

PAGE 46
Repaso de la lección

Student should mark option 3 with an X.

UNIDAD 4 Lección 2

Practice Games Answer Key

Unidad 4, Lección 2
Practice Games Answer Key

50

¡Avancemos! 1
Unit Resource Book

Video Activities *Vocabulario*

PRE-VIEWING ACTIVITY

Before you watch the video, answer these questions about clothing.

1. What colors do you like to wear?

_____

_____

2. What kinds of clothing do you wear in the summer?

_____

_____

3. What kinds of clothing do you wear in the winter?

_____

_____

4. What do you consider before buying an outfit?

_____

_____

VIEWING ACTIVITY

Read all the statement below before watching the video. After you watch, indicate whether each is true (T) or false (F).

1.	A Maribel le gusta una blusa roja.	T	F
2.	Enrique lleva un gorro cuando tiene frío.	T	F
3.	Maribel lleva pantalones verdes.	T	F
4.	A Enrique no le gusta el gorro rojo.	T	F
5.	Enrique lleva pantalones cortos en el invierno.	T	F
6.	En el otoño y la primavera, Enrique lleva una camiseta.	T	F
7.	Maribel quiere comprar los zapatos marrones.	T	F

Video Activities *Vocabulario*

POST-VIEWING ACTIVITY

Use words from the box to complete the sentences.

calcetines	calor	de compras	rojo	euros	una chaqueta

1. Maribel y Enrique van _____ a la tienda de ropa.

2. Enrique quiere un gorro _____ .

3. Cuando tiene _____ , Enrique lleva pantalones cortos.

4. En el otoño, Enrique lleva _____ .

5. Maribel compra _____ blancos.

6. Maribel y Enrique necesitan pagar en _____ .

UNIDAD 4 Lección 1

Video Activities

Unidad 4, Lección 1
Video Activities

52

¡**Avancemos!** 1
Unit Resource Book

Video Activities *Telehistoria escena 1*

PRE-VIEWING ACTIVITY

Answer the following questions.

1. Which is your favorite season of the year?

_____

2. Why is this your favorite season?

_____

3. What type of clothes do you usually wear during your favorite season?

_____

4. Do you enjoy wearing the types of clothes you have to wear during this season?
Explain your answer.

_____

5. What types of clothes do you have to buy each year for this season?

_____

VIEWING ACTIVITY

Read the following activity before watching the video. Then, while watching the video, indicate with a checkmark (☺) whether Enrique or Maribel says each of the following phrases.

Enrique	Maribel		
_____	_____	**1.**	Tengo que comprar una chaqueta.
_____	_____	**2.**	Tú tienes una camiseta, ¿no?
_____	_____	**3.**	¿Llevas una chaqueta en el verano?
_____	_____	**4.**	Yo soy diferente.
_____	_____	**5.**	¡No llevas calcetines en la primavera!
_____	_____	**6.**	¡Hace frío!
_____	_____	**7.**	Trini Salgado está en el centro comercial.
_____	_____	**8.**	Cuando hace frío llevas pantalones cortos.

UNIDAD 4 Lección 1 Video Activities

Video Activities *Telehistoria escena 1*

POST-VIEWING ACTIVITY

Indicate if each statement is true (T) or false (F).

1. Trini Salgado está en el centro comercial a las doce.   T   F

2. Cuando hace calor Enrique tiene frío.   T   F

3. Maribel es cómica.   T   F

4. Cuando hace frío Enrique necesita una chaqueta.   T   F

5. A Enrique le gusta ser diferente.   T   F

6. Maribel necesita unos zapatos nuevos.   T   F

7. En el invierno Enrique lleva un gorro y una chaqueta.   T   F

8. Enrique y Maribel van al Parque de las Avenidas después de ir a la tienda de ropa.   T   F

UNIDAD 4 Lección 1

Video Activities

Unidad 4, Lección 1
Video Activities

54

¡Avancemos! 1
Unit Resource Book

Video Activities *Telehistoria escena 2*

PRE-VIEWING ACTIVITY

Answer the following questions in complete sentences.

1. Where do you and your friends spend free time together? List three places.

_____

_____

2. When you and your friends are together, do you always agree on what to do?

_____

3. What do you do if you and your friends can't agree on how to spend your time?

_____

4. What types of problems arise when you do something that some of your friends aren't interested in doing?

_____

_____

VIEWING ACTIVITY

Read the following activity before watching the video. Then, while watching the video, write **sí** (*yes*) next to the statements that Enrique makes and **no** (*no*) next to the statements that he does not make.

_____ **1.** ¡Ya son las once!

_____ **2.** ¿Qué piensas del gorro marrón?

_____ **3.** ¿Prefieres los vaqueros o los pantalones?

_____ **4.** Tenemos camisas. ¿Queréis ver?

_____ **5.** No prefiero ir de compras en el centro comercial.

_____ **6.** Los precios son malos.

UNIDAD 4 Lección 1   Video Activities

Video Activities *Telehistoria escena 2*

POST-VIEWING ACTIVITY

Match the phrases from each column below based on what Maribel and Enrique say in the video.

1. Maribel y Enrique tienen que ____ .

    a. un poco enojada.

2. Enrique quiere ____ .

    b. ir de compras en el centro comercial.

3. Enrique prefiere ____ .

    c. la camisa blanca.

4. Maribel prefiere ____ .

    d. estar en el centro comercial a las doce.

5. Maribel está ____ .

    e. estar en la tienda de ropa dos minutos más.

UNIDAD 4 Lección 1

Video Activities

Unidad 4, Lección 1
Video Activities

56

¡Avancemos! 1
Unit Resource Book

Video Activities *Telehistoria escena 3*

PRE-VIEWING ACTIVITY

Answer the following questions in complete sentences.

1. Whom do you know who is very organized?

_____

2. What does this person do that makes him or her organized?

_____

3. Do you consider yourself to be very organized?

_____

4. Why do you consider yourself organized or disorganized?

_____

_____

5. What can people do to become more organized?

_____

VIEWING ACTIVITY

Read the following activity before watching the video. Then, while watching the video, indicate with a checkmark (⏱) which items Enrique buys or is going to buy.

_____ **1.** el gorro

_____ **2.** la chaqueta

_____ **3.** los pantalones

_____ **4.** los pantalones cortos

_____ **5.** la camisa

_____ **6.** la mochila

_____ **7.** la comida

Video Activities *Telehistoria escena 3*

POST-VIEWING ACTIVITY

Complete each of the following sentences with the correct word(s).

1. Ya son _____ .
   a. las once y media
   b. las doce

2. Maribel no quiere llegar tarde _____ .
   a. al centro comercial
   b. a la tienda de ropa

3. Enrique ya tiene _____ verde.
   a. una camisa
   b. un gorro

4. No hay _____ en la tienda porque es el verano.
   a. blusas
   b. chaquetas

5. La camisa cuesta _____ euros.
   a. veinticinco
   b. cuarenta

6. Enrique no tiene su _____ .
   a. sombrero
   b. dinero

7. _____ de Enrique está en la clase de ciencias.
   a. La mochila
   b. El gorro

8. Enrique quiere comprar _____ en el centro comercial.
   a. los jeans
   b. comida

9. Maribel tiene que pagar _____ euros.
   a. setenta
   b. ochenta

Unidad 4, Lección 1
Video Activities

58

¡Avancemos! 1
Unit Resource Book

UNIDAD 4 Lección 1

Video Activities

Video Activities *Vocabulario*

PRE-VIEWING ACTIVITY

Before watching the video, answer these questions about things you do for enjoyment.

1. Where are some places you go for fun with your friends or your family?

_____

_____

2. What kinds of transportation do you use to get around town?

_____

_____

3. What kinds of shows do you attend?

_____

_____

4. What do you usually order when you go to restaurants?

_____

_____

VIEWING ACTIVITY

Before you watch the video read all the items below. While you watch, indicate with a checkmark (🕐) which activities Maribel and Enrique suggest doing on Saturday.

_____ **1.** ir a la biblioteca

_____ **2.** comer en un restaurante

_____ **3.** visitar al museo

_____ **4.** ir al parque

_____ **5.** mirar una película

_____ **6.** ir al teatro

_____ **7.** tomar el autobús

_____ **8.** ir al parque de diversiones

_____ **9.** visitar al zoológico

Video Activities *Vocabulario*

POST-VIEWING ACTIVITY

Circle the word(s) that best completes the sentence.

1. Maribel quiere ir al _____ .
   a. cine
   b. centro
   c. parque

2. Enrique no quiere ir al _____ porque cuesta mucho.
   a. cine
   b. teatro
   c. restaurante

3. Cuando tienen hambre, Maribel y Enrique van al _____ .
   a. café
   b. centro
   c. parque

4. Maribel y Enrique van _____ .
   a. a pie
   b. en coche
   c. en autobús

5. En el café, pueden pedir _____ .
   a. papas
   b. pizza
   c. pollo

Video Activities *Telehistoria escena 1*

PRE-VIEWING ACTIVITY

Answer the following questions.

1. Do you live in the country, a town, or a city?

_____

2. How do you get to school? By bus? In a car? On a bike?

_____

3. What type of transportation do you use when you run errands?

_____

4. What type of transportation might you use if you lived in a different area?

_____

VIEWING ACTIVITY

Read the following activity before watching the video. Then, while watching the video, indicate if each of the following statements is true (T) or false (F).

1.	Trini Salgado va a estar en el centro comercial a la una.	T	F
2.	Maribel y Enrique están en el parque.	T	F
3.	Enrique tiene un mapa en su mochila.	T	F
4.	El centro comercial está en el Parque de las Avenidas.	T	F
5.	Enrique quiere tomar el autobús e ir a pie al centro comercial.	T	F
6.	La madre de Enrique tiene coche.	T	F
7.	El autobús setenta y cuatro llega a las doce.	T	F
8.	Enrique y Maribel van a llegar al centro comercial treinta minutos tarde.	T	F

UNIDAD 4 Lección 2 Video Activities

Video Activities *Telehistoria escena 1*

POST-VIEWING ACTIVITY

Which of the following is the best summary of how Enrique and Maribel decide to get to the mall? Mark the correct answer with a checkmark (☑).

_____ **1.** Enrique and Maribel will take the bus downtown. They will walk to the library to pick up Enrique's soccer shirt from his mom. They will walk the rest of the way to the mall.

_____ **2.** Enrique and Maribel will wait at the bus stop. The bus will arrive in fifteen minutes and will take them straight to the mall. They will arrive to see Trini Salgado thirty minutes later.

_____ **3.** Enrique and Maribel will take the bus downtown. They will walk to the library because Enrique's mom is there. His mom will drive them to the mall just in time to see Trini Salgado.

UNIDAD 4 Lección 2

Video Activities

Video Activities *Telehistoria escena 2*

PRE-VIEWING ACTIVITY

Answer the following questions.

1. What is your favorite color to wear?
_____

2. In your opinion, what colors do not look good together?
_____

3. Describe your favorite article of clothing.
_____
_____

4. Do you enjoy shopping for clothes? Why or why not?
_____

5. Think of someone you know who dresses well. Why do you like the way he or she dresses?
_____
_____

VIEWING ACTIVITY

Read the following activity before watching the video. Then, while watching the video, indicate if each of the following statements is true (T) or false (F).

1. Maribel quiere volver al centro después de ir de compras.   T   F

2. Hay un concierto de rock en el centro mañana.   T   F

3. Maribel prefiere ir al teatro.   T   F

4. Enrique piensa que las entradas al cine cuestan mucho.   T   F

5. Enrique va a comprar unas bebidas antes de tomar el autobús.   T   F

6. Enrique no tiene su dinero.   T   F

7. El autobús llega y Enrique no está.   T   F

8. La camiseta de Maribel está en la mochila de Enrique.   T   F

Video Activities *Telehistoria escena 2*

POST-VIEWING ACTIVITY

Put the following events in the correct order.

_____ Enrique quiere ir al teatro también.

_____ Enrique tiene ganas de ir a un concierto de rock con Maribel.

_____ El autobús viene.

_____ Ella no va al centro comercial.

_____ Enrique va a la ventanilla al lado del café.

_____ Maribel quiere ir al teatro.

_____ Después de ir de compras ellos van a ir al concierto de rock.

_____ Maribel no encuentra la camiseta.

UNIDAD 4 Lección 2

Video Activities

Unidad 4, Lección 2
Video Activities

¡Avancemos! 1
Unit Resource Book

64

Video Activities *Telehistoria escena 3*

PRE-VIEWING ACTIVITY

Imagine that you are in your favorite restaurant and are very hungry. Write a conversation in English between you and your server as he or she takes your complete order.

Server: _____

You: _____

Server: _____

You: _____

Server: _____

You: _____

Server: _____

You: _____

VIEWING ACTIVITY

Read the following activity before watching the video. Then, while watching the video, indicate with a checkmark (☺) whether each of the following statements is made by Enrique, Maribel, or **el camarero** (*the waiter*).

Enrique	Maribel	el camarero	
____	____	____	**1.** ¿Queréis comer aquí?
____	____	____	**2.** Yo pido todo en el menú.
____	____	____	**3.** No tenemos pescado hoy.
____	____	____	**4.** Yo pido una ensalada.
____	____	____	**5.** ¿Quieres pedir dos platos principales?
____	____	____	**6.** Yo pido pan y agua.
____	____	____	**7.** No puedo pagar la cuenta.
____	____	____	**8.** Come uno de mis platos principales.

Video Activities *Telehistoria escena 3*

POST-VIEWING ACTIVITY

Complete each sentence with the appropriate phrase.

1. Maribel y Enrique van a un restaurante ____ .

    a. porque él no tiene dinero.

2. Maribel está todavía ____ .

    b. pero hoy no hay.

3. Enrique quiere pagar ____ .

    c. pagar todo.

4. Maribel quiere pedir pescado ____ .

    d. para almorzar.

5. Maribel pide ____ .

    e. enojada con Enrique.

6. Enrique tiene hambre ____ .

    f. pero no tiene su dinero.

7. Enrique piensa que no pueden comer ____ .

    g. pero no pide un plato principal.

8. Maribel va a ____ .

    h. una ensalada, dos platos principales y arroz con leche.

UNIDAD 4 Lección 2

Video Activities

Unidad 4, Lección 2
Video Activities

66

¡**Avancemos! 1**
Unit Resource Book

Video Activities Answer Key

VOCABULARIO

PRE-VIEWING ACTIVITY p. 51
Answers will vary.

VIEWING ACTIVITY p. 51
1. F		**2.** T	
3. F		**4.** F	
5. F		**6.** F	
7. T			

POST-VIEWING ACTIVITY p. 52
1. de compras
2. rojo
3. calor
4. una chaqueta
5. calcetines
6. euros

TELEHISTORIA ESCENA 1

PRE-VIEWING ACTIVITY p. 53
1. Answers will vary. Possible answer: My favorite season is the summer.
2. Answers will vary. Possible answer: Summer is my favorite season because there is no school and the weather is usually nice.
3. Answers will vary. Possible answer: I usually wear shorts, T-shirts, sandals and baseball caps.
4. Answers will vary. Possible answer: Yes, I like to wear summertime clothes because they are comfortable.
5. Answers will vary. Possible answer: My mom buys me a new bathing suit and sandals each year.

VIEWING ACTIVITY p. 53
1. Enrique	**2.** Enrique
3. Maribel	**4.** Enrique
5. Maribel	**6.** Enrique
7. Maribel	**8.** Maribel

POST-VIEWING ACTIVITY p. 54
1. T	**2.** T
3. F	**4.** F
5. T	**6.** T
7. F	**8.** T

TELEHISTORIA ESCENA 2

PRE-VIEWING ACTIVITY p. 55
1. Answers will vary. Possible answer: We spend time together at the mall, on field trips and playing basketball at my cousin Joe's house.
2. Answers will vary. Possible answer: No. Sometimes we disagree on what to do.
3. Answers will vary. Possible answer: We usually take a vote and go to the place most people want to go.
4. Answers will vary. Possible answer: We sometimes get into arguments or the friends who aren't doing what they want get irritated.

VIEWING ACTIVITY p. 55
1. no	**2.** sí
3. sí	**4.** no
5. sí	**6.** sí

POST-VIEWING ACTIVITY p. 56
1. d	**2.** c
3. e	**4.** b
5. a	

TELEHISTORIA ESCENA 3

PRE-VIEWING ACTIVITY p. 57
1. Answers will vary. Possible answer: My friend Clara is very organized.
2. Answers will vary. Possible answer: She keeps a to-do list in her organizer and checks off everything that she does each day.
3. Answers will vary. Possible answer: No, I am not very organized.
4. Answers will vary. Possible answer: I think I am disorganized because I am late for classes sometimes and I forget about homework assignments occasionally.
5. Answers will vary. Possible answer: They can keep to-do lists or set their alarm clocks for an earlier time.

VIEWING ACTIVITY p. 57
Checkmarks: 1, 3, 5.

No Checkmarks: 2, 4, 6, 7

POST-VIEWING ACTIVITY p. 58
1. a	**2.** a
3. b	**4.** b
5. a	**6.** b
7. a	**8.** b
9. a	

UNIDAD 4 Lección 1   Video Activities Answer Key

Video Activities Answer Key

VOCABULARIO

PRE-VIEWING ACTIVITY p. 59
Answers will vary.

VIEWING ACTIVITY p. 59
Checkmarks: 2, 4, 5, 6, 7
No checkmarks: 1, 3, 8, 9

POST-VIEWING ACTIVITY p. 60
1. b
2. b
3. a
4. c
5. c

TELEHISTORIA ESCENA 1

PRE-VIEWING ACTIVITY p. 61
1–4 Answers will vary. Possible answers:
1. I live in the country.
2. I take the school bus to school.
3. I usually ride my bike everywhere that I go.
4. If I lived in the city I think I would use public transportation more.

VIEWING ACTIVITY p. 61
1. F
2. T
3. F
4. F
5. F
6. T
7. T
8. T

POST-VIEWING ACTIVITY p. 62
Checkmarks: 2
No checkmarks: 1, 3

TELEHISTORIA ESCENA 2

PRE-VIEWING ACTIVITY p. 63
1–5 Answers will vary. Possible answers:
1. I like to wear red.
2. I don't think brown and blue look good together.
3. My jeans are my favorite article of clothing. They are loose and comfortable, and they are dark blue, so they match everything.
4. I do not enjoy shopping for clothes because they are expensive.
5. I like the way my friend Rebecca dresses because her outfits are always creative.

VIEWING ACTIVITY p. 63
1. T
2. F
3. T
4. F
5. F
6. T
7. T
8. F

POST-VIEWING ACTIVITY p. 64
3 Enrique quiere ir al teatro también.

1 Enrique tiene ganas de ir a un concierto de rock con Maribel.

6 El autobús viene.

8 Ella no va al centro comercial.

5 Enrique va a la ventanilla al lado del café.

2 Maribel quiere ir al teatro.

4 Después de ir de compras ellos van a ir al concierto de rock.

7 Maribel no encuentra la camiseta.

TELEHISTORIA ESCENA 3

PRE-VIEWING ACTIVITY p. 65
Answers will vary. Possible answer:

Server: What would you like to drink?

You: I would like a soda and a glass of water.

Server: Okay. Would you like to start with an appetizer?

You: Yes. I would like the bean and cheese nachos, please.

Server: What would you like as your main course?

You: I would like the grilled steak with French fries.

Server: Great! Would you like a dessert?

You: Yes. I would like the chocolate cake with whipped cream.

VIEWING ACTIVITY p. 65
1. el camarero
2. Maribel
3. el camarero
4. Maribel
5. el camarero
6. Enrique
7. Enrique
8. Maribel

POST-VIEWING ACTIVITY p. 66
1. d
2. e
3. f
4. b
5. h
6. g
7. a
8. c

Video Scripts

VOCABULARIO

Maribel: Hola, soy Maribel.

Enrique: Y yo soy Enrique.

Maribel: Y hoy vamos de compras...
Enrique: a la tienda de ropa.

Maribel: Me gusta el gorro rojo.

Enrique: En el invierno cuando tengo frío, llevo un gorro.

Maribel: ¿Y los pantalones cortos azules?

Enrique: En el verano cuando tengo calor, llevo pantalones cortos.

Maribel: ¿Y en el otoño y la primavera?

Enrique: En el otoño, llevo una chaqueta porque hace frío, y en la primavera, llevo una camiseta porque no hace mucho frío. ¿Y tú?

Enrique: ¿Compras la blusa amarilla?

Maribel: Sí. Me gusta la blusa amarilla.

Enrique: Y con pantalones anaranjados…

Maribel: ¿Bonitos, eh? ¿Compro los zapatos marrones y los calcetines blancos?

Enrique: Y los zapatos...¡Eres muy alta!

Maribel: Ahora tenemos que pagar. Con euros.

Empleada: ¿Necesitáis algo más?

Enrique: No, gracias. ¿Cuánto cuesta todo, por favor?

Empleada: Doscientos cincuenta euros.

Enrique: No tengo mucho dinero. ¿Y tú?

Maribel: ¡Me gusta tu gorro! Es muy bonito.

Enrique: Me gustan tus calcetines son muy… blancos.

TELEHISTORIA ESCENA 1

Enrique: ¿Es una camiseta?

Maribel: Sí. Y Trini está en el centro comercial del Parque de las Avenidas de las 12 a la 1 de la tarde.

Enrique: ¿Dónde está el Parque de las Avenidas?

Maribel: No sé dónde es. Necesito un mapa.

Enrique: ¡Una tienda de ropa! ¡Y yo necesito comprar una chaqueta! ¡Tengo frío!

Maribel: ¡Eres muy cómico! En el verano, cuando hace calor, ¿necesitas una chaqueta?

Enrique: ¿Hace calor? Yo no tengo calor.

Maribel: En el invierno, cuando hace frío, llevas pantalones cortos. Y durante la primavera, ¡nunca llevas calcetines!

Enrique: ¡Me gusta ser diferente! ¿No necesitas unos zapatos nuevos?

Maribel: ¡Vale! Diez minutos.

Enrique: ¡Vale! Diez minutos.

TELEHISTORIA ESCENA 2

Maribel: Enrique, son las once.

Enrique: Me gusta la gorra marrón. ¿Qué piensas?

Empleada: ¿Necesitáis una gorra?

Maribel: No, gracias. Tenemos que estar en el centro comercial a las doce, ¿entiendes?

Enrique: Sí, entiendo. Dos minutos más. ¿Prefieres los vaqueros negros o los pantalones verdes?

Maribel: Prefiero ir al centro comercial, ¡ahora!

Video Scripts

Enrique: Quiero la camisa blanca.

Empleada: Tenemos camisas en color azul y en verde. ¿Queréis ver?

Maribel: No, gracias. Pero, Enrique, ¿una tienda de ropa? ¿No prefieres ir de compras al centro comercial?

Enrique: No. No quiero comprar la ropa en el centro comercial. Los precios no son buenos. ¿Te gustan los pantalones cortos azules?

Maribel: Sí, sí. Y me gustan los calcetines rojos, la camisa amarilla y los zapatos marrones…

Enrique: No, no, no. ¿Rojo, amarillo y marrón? No, no me gustan.

TELEHISTORIA COMPLETA

Maribel: Enrique, tienes que pagar. Son las once y media.

Enrique: Un gorro verde. ¡Lo quiero comprar! ¡Tengo que comprarlo!

Maribel: Enrique, ¡pero tú ya TIENES un gorro verde!

Enrique: Sí, ¡pero nunca lo llevo!

Maribel: Enrique, ¿y la chaqueta? Quieres una chaqueta, ¿no?

Enrique: ¡Tienes razón! La chaqueta... la necesito. ¿Vende chaquetas?

Empleada: ¿En verano? No. El verano no es la estación para llevar chaquetas. Las vendo en el otoño.

Enrique: ¿Cuánto cuesta todo?

Empleada: Los pantalones cuestan 30 euros… la camisa cuesta…25, y el gorro 15. Son 70 euros.

Enrique: ¡Mi dinero! ¡No lo tengo!

Maribel: ¡No te entiendo! ¿Quieres ir de compras y no tienes dinero?

Enrique: Está en mi mochila. ¿Dónde está mi mochila?

Maribel: Siempre la pierdes.

Enrique: ¡No siempre!. Está en la escuela, en la clase de ciencias, debajo de mi silla. ¿Tienes dinero? En el centro comercial, ¡yo compro la comida!

Maribel: ¿Con qué piensas pagar? No tienes dinero.

Video Scripts

VOCABULARIO

Maribel: Hola. Me gustan mucho los sábados en Madrid.

Enrique: Hay mucho que podemos hacer. Hoy, nosotros vamos a ir…

Maribel: ¡Al parque!

Enrique: ¡Al cine!

Ambos: ¿Qué?

Enrique: ¿No vamos al cine?

Maribel: Pero hoy hace sol, ¿no quieres ir al parque? Estamos aquí, en el centro de Madrid. El parque está allí.

Enrique: Por la tarde volvemos… Y vemos una película.

Maribel: O vamos al teatro.

Enrique: No quiero ir al teatro. Las entradas cuestan mucho dinero.

Maribel: ¿Tienes hambre? ¿Pues comemos primero?

Enrique: ¿En un restaurante?

Maribel: Hay un lugar muy bueno cerca del parque del Retiro; es un café.

Enrique: ¿Vamos en coche?

Maribel: No. Mi papá no puede llevarnos en su coche. Tiene que trabajar.

Enrique: ¿Podemos tomar el autobús?

Maribel: No. ¡Vamos a pie!

Enrique: Tengo mucha hambre, ¿qué puedo comer allí?

Maribel: Encuentras muchos platos diferentes allí. Plato principal: Pollo con patatas, pescado con verduras. filete con verduras o arroz y ensalada; postre: pastel de manzana.

Enrique: ¡Vamos!

TELEHISTORIA ESCENA 1

Enrique: ¿Trini Salgado está en el centro comercial del Parque de las Avenidas a las 12?

Maribel: Sí. Y ya es tarde. ¡Enrique, por favor!

Enrique: ¡Vale! ¿Y cómo vamos a llegar allí? ¿En autobús?

Maribel: Podemos empezar aquí en el parque. El centro comercial está allí. ¿Cuál es la calle?

Enrique: Calle Poveda. ¡Es fácil! Tomamos el autobús al centro. Vamos a pie a la biblioteca, aquí. Mi madre está allí. Ella tiene coche. ¡Llegamos al centro comercial en coche!

Maribel: ¡Pero Enrique! Son las 11:45. Vamos a llegar tarde. ¿Qué voy a hacer?

Enrique: ¡Ah! El autobús 74 va al centro comercial. Llega aquí a las 12. ¡Ah! ¡Y llega al centro comercial a las 12:30!

Maribel: ¡Vale!

TELEHISTORIA ESCENA 2

Enrique: ¿Qué vas a hacer hoy por la tarde?

Maribel: Después de ir de compras, quiero volver al centro. Hay un concierto de música rock, o puedo ir al cine a ver una película… ¡O puedo ir al teatro!…

Enrique: ¡Un concierto de rock! ¿Puedo ir?

Maribel: Mmm… ¡Quiero ir al teatro! ¿Vamos al teatro?

Enrique: ¿Al teatro? Pero… las entradas cuestan mucho y... ¡Vale! Vamos al teatro.

Maribel: No… ¡Vamos al concierto!

Enrique: ¡Muy bien! Voy a comprar las entradas.

Video Scripts

Maribel: ¡Pero Enrique! El autobús…

Enrique: La ventanilla está allí, cerca del café. Vuelvo en dos minutos.

Maribel: Pero, Enrique, tu mochila... ¡No tienes dinero! ¡La camiseta! ¡No encuentro la camiseta! ¡Ay! ¡Enrique! ¡No encuentro la camiseta! ¡Enrique!

TELEHISTORIA COMPLETA

Camarero: Buenas tardes. ¿Queréis una mesa?

Enrique: Sí, una mesa para dos, por favor.

Maribel: «Vuelvo en dos minutos.» Y allí está el autobús, y ¿dónde está Enrique? ¿Dónde está la camiseta?

Enrique: Es un restaurante muy bonito.

Maribel: Pero no tengo el autógrafo de Trini.

Enrique: Vamos a pedir la comida. ¡Yo pago!

Maribel: Ah, ¿pagas tú? Ahora pido toda la comida del menú. ¿Dónde esta el camarero? Señor, ¿sirven pescado hoy?

Camarero: No, hoy no tenemos pescado.

Maribel: Quiero empezar con una ensalada. De plato principal quiero el pollo con verduras y... el filete con patatas es muy caro... Sí, y filete con patatas.

Camarero: ¿Dos platos principales? ¿Filete y pollo?

Enrique: Es mucho, ¿no?

Maribel: Sí. Y de postre, quiero un arroz con leche.

Camarero: ¿Y tú?

Enrique: Pan y agua, por favor.

Maribel: Él va a pagar la cuenta.

Enrique: ¡Maribel! ¡Mi mochila! ¡No tengo dinero! ¿Cómo voy a pagar la cuenta? ¡No podemos comer!

Maribel: ¡Ay Enrique..! Yo sí tengo dinero. Come uno de mis platos principales.

COMPARACÍON CULTURAL VIDEO

There are lots of things to do in a big city. We are going to show you some things to do in two of the most important cities in the Spanish speaking world, one in Europe: Madrid … and the other one in South America: Buenos Aires.

Spain
Madrid is the capital city of Spain. Located in the heart of the country, Madrid has a population of almost 6 million citizens. You can imagine the traffic jams … and the inconvenience of finding a parking space. Being a traffic officer is hard work in Madrid. If you take the subway, you can go to places like **El Teatro Español**, a classical theater venue located in the same building since 1565.

In a cosmopolitan city like this one, you can visit museums like **Reina Sofia** or **El Prado**; go to a movie or a concert; go shopping at **El Corte Inglés**, a very popular and upscale department store … or simply go to the **El Retiro** park to relax and hang out with your friends.

Argentina
In Buenos Aires, the capital city of Argentina, there are 13 different main neighborhoods you can visit, all of them connected by subway or bus routes.

One of them is Caminito in La Boca, a very picturesque part of the city with a long tradition of tango music and dancing.

Living in the city is also about good places to shop. If you walk around the city you will find a wide array of clothing and bookstores.

During the weekend you can even browse at a flea market in San Telmo, where you might find anything from arts and crafts, paintings and clothing, to used books, housewares and furniture.

It is fun to live in a big city, and even more so to visit one like Buenos Aires or Madrid. You'll never get bored there! Would you like to go visit them one day? You just need a map … and a dictionary.

Audio Scripts

PRESENTACIÓN DE VOCABULARIO

Level 1 Textbook pp. 194-195

Level 1A Textbook pp. 218-220

TXT CD 4, Track 1

A. ¡Hola! Me llamo Enrique. Voy de compras al centro comercial con mi amiga, Maribel. Queremos comprar ropa nueva. A Maribel le gusta ir a todas las tiendas.

B. Voy a comprar una camisa y unos jeans. Cuestan treinta euros. El vestido de Maribel cuesta veinte euros. Es un buen precio.

C. Me gusta llevar ropa blanca, roja y marrón. A Maribel le gusta llevar una camiseta verde y unos pantalones cortos azules.

D. Maribel piensa que el vestido es un poco feo. Ella tiene razón; no es muy bonito. Ella compra otro vestido que le gusta más.

E. En España hay cuatro estaciones. Maribel siempre tiene calor durante el verano. Me gusta el invierno, pero siempre tengo frío.

En España se dice...

In Spain the word for jeans is *los vaqueros*. They also use *los tejanos*.

¡A RESPONDER!

Level 1 Textbook p. 195

Level 1A Textbook p. 220

TXT CD 4, Track 2

Listen to the following descriptions of clothes. Raise your hand if you are wearing that item.

1. una camiseta
2. una blusa
3. unos pantalones cortos
4. una camisa
5. unos calcetines
6. unos zapatos
7. unos jeans
8. un vestido

TELEHISTORIA ESCENA 1

Level 1 Textbook p. 197

Level 1A Textbook p. 222

TXT CD 4, Track 3

Enrique: ¿Es una camiseta?

Maribel: Sí. Y Trini está en el centro comercial del Parque de las Avenidas de las doce a la una de la tarde.

Enrique: ¿Dónde está el Parque de las Avenidas?

Maribel: Necesito un mapa. ¿Vamos?

Enrique: ¡Una tienda de ropa! ¡Y yo necesito comprar una chaqueta! ¡Tengo frío!

Maribel: ¡Eres muy cómico! En el verano, cuando hace calor, ¿necesitas una chaqueta?

Enrique: ¿Hace calor? Yo no tengo calor.

Maribel: En el invierno, cuando hace frío, llevas pantalones cortos. Y durante la primavera, ¡nunca llevas calcetines!

Enrique: ¡Me gusta ser diferente! ¿No necesitas unos zapatos nuevos?

Maribel: ¡Vale! Diez minutos.

ACTIVIDAD 7 (8) - ¿TIENE SUERTE EN LA TIENDA?

Level 1 Textbook p. 201

Level 1A Textbook, Act. 8 p. 226

TXT CD 4, Track 4

Enrique is at the mall. Listen to what he says, and answer the questions.

Enrique: El invierno empieza. Hoy voy de compras en el centro comercial. Quiero comprar un gorro nuevo. No me gusta tener frío; prefiero tener calor. Mi amiga Micaela también está en el centro comercial porque quiere comprar ropa. Yo prefiero un gorro azul, y Micaela quiere comprar un gorro negro. Pienso que el gorro azul cuesta diez euros. Hablo con la señora.

Vendedora: Cien euros, por favor.

Enrique: ¿Cien euros? ¿No cuesta diez euros? ¡No entiendo! Ah... el precio tiene otro cero. No quiero el gorro azul. Cuesta mucho. A Micaela le gusta el gorro negro; cuesta quince euros. Ella tiene suerte.

TELEHISTORIA ESCENA 2

Level 1 Textbook p. 202

Level 1A Textbook p. 228

TXT CD 4, Track 5

Maribel: Tenemos que estar en el centro comercial a las doce, ¿entiendes?

Enrique: Sí, entiendo. Dos minutos más. ¿Prefieres los vaqueros negros o los pantalones verdes?

Maribel: Prefiero ir al centro comercial, ¡ahora!

Enrique: Quiero la camisa blanca.

Vendedora: Tenemos camisas en color azul y en verde. ¿Queréis ver?

Maribel: No, gracias. Pero Enrique, ¿una tienda de ropa? ¿No prefieres ir de compras al centro comercial?

Enrique: No. No quiero comprar la ropa en el centro comercial. Los precios no son buenos. ¿Te gustan los pantalones cortos azules?

Maribel: Sí, sí. Y me gustan los calcetines rojos, la camisa amarilla y los zapatos marrones…

Enrique: No, no, no. ¿Rojo, amarillo y marrón? No, no me gustan.

PRONUNCIACIÓN

Level 1 Textbook p. 205

Level 1A Textbook p. 226

TXT CD 4, Track 6

La letra **c** con **a, o, u**

Before **a, o,** or **u,** the Spanish **c** is pronounced like the /k/ sound in the English word *call*. Listen and repeat.

ca

camisa

calor

tocar

nunca

co

comprar

corto

poco

blanco

cu

cumpleaños

cuando

cuaderno

escuela

Carmen compra pantalones cortos. Carlos tiene calor; quiere una camiseta.

Before a consonant other than **h**, it has the same sound:

clase

octubre

TELEHISTORIA COMPLETA

Level 1 Textbook p. 207

Level 1A Textbook p. 234

TXT CD 4, Track 7

Escena 1 - Resumen

Maribel tiene que ir al centro comercial porque necesita el autógrafo de Trini. Pero Enrique quiere ir de compras en una tienda.

Escena 2 - Resumen

Audio Scripts

Enrique y Maribel están en una tienda, y Enrique quiere comprar mucha ropa. Maribel prefiere ir al centro comercial.

Escena 3 - Resumen

Maribel: Enrique, tienes que pagar. Son las once y media.

Enrique: Un gorro verde. ¡Lo quiero comprar! ¡Tengo que comprarlo!

Maribel: Enrique, ¡pero tú ya tienes un gorro verde!

Enrique: Sí, pero nunca lo llevo.

Maribel: Quieres una chaqueta, ¿no?

Enrique: Tienes razón. La chaqueta… la necesito.¿Vende chaquetas?

Vendedora: ¿En verano? No. Las vendo en el otoño.

Enrique: ¿Cuánto cuesta todo?

Vendedora: Los pantalones cuestan treinta euros, la camisa cuesta veinticinco, y el gorro, quince. Son setenta euros.

Enrique: ¡Mi dinero! ¡No lo tengo!

Maribel: ¡No te entiendo! ¿Quieres ir de compras y no tienes dinero?

Enrique: Está en mi mochila. ¿Dónde está mi mochila? ¿Tienes dinero? En el centro comercial yo compro la comida.

Maribel: ¿Con qué piensas pagar? No tienes dinero.

ACTIVIDAD 18 (22) - INTEGRACIÓN

Level 1 Textbook p. 209

Level 1A Textbook, Act. 22 p. 236

TXT CD 4, Track 8

Read the discount coupon and listen to the store ad. Describe four items you want to buy for your friends and how much each item costs.

FUENTE 2

Listen and take notes

¿Qué venden en la tienda?

¿Cuánto cuesta la ropa?

Buenas tardes. Aquí en Alta Moda tenemos los mejores precios.

Para los chicos, los jeans cuestan 35 euros y los pantalones, 25 euros. Las chaquetas de otoño cuestan 44 euros. También vendemos calcetines que cuestan 8 euros.

Y chicas… tenemos buenos precios para ustedes también. Las blusas cuestan 29 euros y los vestidos cuestan 36. Los zapatos cuestan 60 euros. También vendemos sombreros muy bonitos... ¡18 euros!.

LECTURA: LAS MEMORIAS DEL INVIERNO

Level 1 Textbook pp. 210-211

Level 1A Textbook pp. 238-239

TXT CD 4, Track 10

Antonio Colinas is a poet and novelist from León, in northern Spain. He published the following poem in 1988.

Antonio Colinas

Antonio Colinas nació en 1946 en La Bañeza, en la provincia de León, España. Escribe poesía, novelas, ensayos y crítica. También estudia literatura italiana y la adapta al español. Su poesía ha ganado muchos premios en España, como el Premio Nacional de Literatura, en 1982. Ahora vive en Salamanca, España.

Invierno tardío

No es increíble cuanto ven mis ojos:
nieva sobre el almendro florido,
nieva sobre la nieve.
Este invierno mi ánimo
es como primavera temprana,
es como almendro florido
bajo la nieve.

Hay demasiado frío
esta tarde en el mundo.
Pero abro la puerta a mi perro
y con él entra en casa calor,
entra la humanidad.

REPASO: ACTIVIDAD 1 – LISTEN AND UNDERSTAND

Level 1 Textbook p. 214

Level 1A Textbook p. 242

TXT CD 4, Track 11

Listen to Paula talk about clothes. Tell whether she wants to buy each article of clothing or not. Use direct object pronouns.

Hola, soy Paula. Voy de compras en el centro comercial porque necesito ropa nueva. Necesito jeans azules, pero todos los jeans cuestan 70 euros. No quiero pagar 70 euros.

Todos los días llevo una blusa a la escuela. Necesito una blusa nueva. La blusa blanca es muy bonita. ¡Y no cuesta mucho!

En una tienda hay un sombrero amarillo. No es feo, pero prefiero un sombrero negro.

Quiero comprar zapatos nuevos. Tengo suerte porque hay muchos zapatos que me gustan. Pienso que los zapatos negros son bonitos.

Necesito una chaqueta porque el otoño empieza. Me gusta la chaqueta anaranjada más que la chaqueta roja.

En otra tienda hay un vestido amarillo. Tiene un buen precio: 43 euros. Me gusta mucho.

WORKBOOK SCRIPTS
WB CD 2

INTEGRACIÓN HABLAR

Level 1 Workbook p. 157

Level 1A Workbook p. 160

WB CD 2, Track 21

Listen to the radio ad that Carmen listened to. Take notes.

FUENTE 2

WB CD 2, Track 22

¡Buenas tardes! Nuestra tienda, Señor Invierno, cierra en veinte minutos. Todas las personas que están ahora en nuestra tienda y compran más de cien dólares en ropa de invierno, pueden tener una camisa o una blusa sin pagar, del color que les gusta más. Tenemos camisas y blusas muy bonitas.

INTEGRACIÓN ESCRIBIR

Level 1 Workbook p. 158

Level 1A Workbook p. 161

WB CD 2, Track 23

Listen to the principal talking to students. Take notes.

FUENTE 2

WB CD 2, Track 24

¡Buenos días a todos! Soy el director. Tengo un correo electrónico muy interesante de Ramón. Sí, Ramón tiene razón, yo entiendo que es julio y hace mucho calor. Está bien, no tienen que llevar la chaqueta y el gorro durante el verano en la escuela. Pero los estudiantes sí tienen que llevar las otras ropas de la escuela. Porque con las ropas de la Escuela Latina, las personas entienden que son nuestros estudiantes. ¡Muchas gracias!

ESCUCHAR A: ACTIVIDAD 1

Level 1 Workbook p. 159

Level 1A Workbook p. 162

WB CD 2, Track 25

Listen to the conversation between Fernanda and her mother, Carmen.

Audio Scripts

Take notes. Then underline the word that completes each sentence below.

Carmen: Fernanda, ¿y el sombrero blanco?, ¿es nuevo?

Fernanda: Sí mamá. Todos mis amigos tienen uno. Todos los chicos compran sombreros en la tienda del centro comercial. Empieza el verano y necesitamos sombreros nuevos.

Carmen: ¡Es bonito! ¿Cuánto cuesta?

Fernanda: Cuesta quince euros.

Carmen: ¡Yo quiero un sombrero nuevo también! ¿Quieres comprarlo?

Fernanda: Sí mamá. ¿Qué color prefieres?

Carmen: Pienso que el sombrero rojo es bonito, ¿no crees?

Fernanda: A mí no me gusta mucho, prefiero el sombrero amarillo.

Carmen: También es bonito. Tienes que llegar temprano porque cierran la tienda.

Fernanda: No mamá. La cierran tarde.

ESCUCHAR A: ACTIVIDAD 2

Level 1 Workbook p. 159

Level 1A Workbook p. 162

WB CD 2, Track 26

Now listen to Bárbara. Then, complete the following sentences with the words in the box.

Tengo que llegar a la tienda en cinco minutos porque la cierran temprano y no tengo tiempo de comprar todo. En unos meses empieza el invierno y yo necesito ropa nueva. Quiero comprar gorros, chaquetas y zapatos. Yo pienso que es mejor comprar la ropa de invierno en otoño.

ESCUCHAR B: ACTIVIDAD 1

Level 1 Workbook p. 160

Level 1A Workbook p. 163

WB CD 2, Track 27

Listen to Augustina. Then, draw a line from the people on the left to what they do.

Siempre voy de compras al centro comercial. Voy con mis amigas. A Beatriz le gusta mucho el invierno. Prefiere comprar la ropa de invierno en otoño. Sus amigas no la entienden. Alejandra compra toda la ropa de invierno en invierno. Nosotras queremos comprar todo en la tienda.

ESCUCHAR B: ACTIVIDAD 2

Level 1 Workbook p. 160

Level 1A Workbook p. 163

WB CD 2, Track 28

Listen to Carina. Then, complete the sentences below.

El hermano de mi amiga quiere ir de compras esta noche. Mi amiga piensa que su hermano es un buen amigo. Yo lo entiendo, mi hermano también es simpático. Yo no quiero ir de compras esta noche. Es invierno y tengo frío. Prefiero ir de compras con ellos mañana.

ESCUCHAR C: ACTIVIDAD 1

Level 1 Workbook p. 161

Level 1A Workbook p. 164

WB CD 2, Track 29

Listen to Emilio. Then, read each sentence and fill in the blanks with the correct season.

Ya llega el verano. A mi familia le gusta el verano mucho. Pensamos que el verano es la mejor estación de todas. Hacemos más cosas que en invierno. Empiezan a llegar las frutas de la estación, montamos en bicicleta y paseamos. La ropa de invierno es fea. En verano, los colores son bonitos.

ESCUCHAR C: ACTIVIDAD 2

Level 1 Workbook p. 161

Level 1A Workbook p. 164

WB CD 2, Track 30

Listen to Alicia and take notes. Then answer the following questions with complete sentences.

Yo soy Alicia y trabajo en la tienda de ropa del centro comercial. Trabajamos mucho porque la tienda cierra tarde y muchas personas van de compras. Cuando empieza una estación, vendemos más ropa. Ahora es verano y vendemos muchos sombreros. Las chicas prefieren los sombreros grandes y blancos; los chicos prefieren los pequeños y negros.

ASSESSMENT SCRIPTS
TEST CD 1

LESSON 1 TEST: ESCUCHAR
ACTIVIDAD A

Modified Assessment Book p. 119

On-level Assessment Book p. 154

Pre-AP Assessment Book p. 119

TEST CD 1, Track 21

Listen to the following audio. Then complete Activity A.

Susana: Carolina, hay muchos vestidos.

Carolina: ¿Qué piensas del vestido rojo?

Susana: Me gusta mucho pero no quiero llevar un vestido rojo.

Carolina: La blusa azul es muy bonita.

Susana: No entiendes, Carolina. ¡No quiero una blusa! ¡Quiero un vestido!

Carolina: Bueno, ¿qué precio tiene el vestido verde?

Susana: Cuesta 500 euros. ¡No quiero pagar 500 euros!

Carolina: Tienes razón, Susana. ¿Prefieres un vestido negro o un vestido blanco?

Susana: Prefiero llevar un vestido negro.

Carolina: Hay un vestido negro que cuesta 50 euros.

Susana: Lo quiero. ¿Qué piensas, Carolina. ¿Lo compro?

Carolina: Sí, Susana, tienes que comprarlo.

Susana: Bueno, necesito zapatos para llevar con el vestido. ¿Vamos a otra tienda?

LESSON 1 TEST: ESCUCHAR
ACTIVIDAD B

Modified Assessment Book p. 119

On-level Assessment Book p. 154

Pre-AP Assessment Book p. 119

TEST CD 1, Track 22

Listen to the following audio. Then complete Activity B.

Hoy tenemos precios muy bajos en toda la tienda. ¡Tenemos camisas, diez euros! ¿Quieres pantalones? ¡Hoy nuestros pantalones cuestan veinticinco euros! Hay zapatos que cuestan treinta y cinco euros y hay chaquetas para hombres y mujeres que cuestan cincuenta euros. Para todas las mujeres tenemos vestidos muy bonitos que cuestan setenta euros. Tenemos toda la ropa que necesitas.

HERITAGE LEARNERS SCRIPTS
HL CDS 1 & 3

INTEGRACIÓN HABLAR

Level 1 HL Workbook p. 159

Level 1A HL Workbook p. 162

HL CD 1, Track 25

Audio Scripts

Escucha el mensaje de Silvia para su amigo. Toma apuntes y luego responde a las preguntas.

FUENTE 2

HL CD 1, Track 26

Umesh, ¿dónde estás tío? ¿qué os ha ocurrido hoy a todos que no os encuentro en ninguna parte? Ume, Ume, ¿Para qué llevas móvil si no lo usas?… Vale, mira tengo un problemilla para la fiesta de disfraces de hoy. Necesito que me describas cuidadosamente lo que va a llevar tu hermana Sunita. Ella dijo que iba a ir vestida de Madonna y yo quiero ir disfrazada como Sunita. ¿No te parece fantástico? Tienes que ir a su habitación, abrir el primer cajón del armario y describirme el disfraz detalladamente, ¿me oyes, chaval?, detalladamente…

INTEGRACIÓN ESCRIBIR

Level 1 HL Workbook p. 160

Level 1A HL Workbook p. 163

HL CD 1, Track 27

Escucha el anuncio de radio. Toma nota y luego realiza la actividad.

FUENTE 2

HL CD 1, Track 28

Gran descuento en los almacenes Barreno. La temporada de invierno ha terminado y tenemos que hacer espacio para la ropa de primavera. Para él: Pantalones a 126 euros, camisas a 99 euros, las chaquetas increíblemente rebajadas a 325 euros. Para ella: abrigos rebajados a 257 euros, botas de 315 a sólo 159 euros y las bufandas, un regalo a 5 euros. La venta termina este fin de semana. Sólo en los almacenes participantes.

LESSON 1 TEST: ESCUCHAR ACTIVIDAD A

HL Assessment Book p. 125

HL CD 3, Track 21

Escucha el siguiente audio. Luego, completa la actividad A.

Gloria: Isabel, ¿qué vas a llevar a la fiesta de Ana?

Isabel: Pienso comprar un vestido nuevo, ¿y tú?

Gloria: Ya tengo un vestido nuevo muy bonito.

Isabel: ¿De qué color es?

Gloria: Es blanco y negro. Me gusta muchísimo. Pero necesito unos zapatos.

Isabel: Bueno, ¿vamos de compras?

Gloria: Muy bien. ¿Adónde quieres ir, al centro comercial Las Rozas o a las tiendas por la calle Fuencarral?

Isabel: Vamos a la calle Fuencarral. Hay muchas tiendas de ropa muy original.

Isabel: Aquí estamos. Me gusta mucho la ropa de esta tienda.

Gloria: Isabel, ¿qué piensas de este vestido anaranjado y marrón?

Isabel: No me gustan estos colores. Prefiero un vestido negro. El negro es muy elegante. Quiero comprar un vestido negro.

Gloria: ¿Qué piensas de este vestido rojo y amarillo?

Isabel: Pienso que es muy feo. Quiero un vestido negro.

Gloria: Bueno, ¿pero qué piensas de este vestido blanco y azul?

Isabel: ¡No! Gloria, ¿no entiendes que quiero un vestido negro?

Gloria: Bueno, bueno, ¿qué tal este vestido? Es negro y muy bonito y...

Isabel: ¡y cuesta 400 euros! No quiero pagar tanto.

Gloria: ¿Qué piensas de este vestido negro?

Isabel: Es bonito. ¿Cuánto cuesta?

Gloria: No tanto. Cien euros.

Isabel: ¡Perfecto! Ahora, ¿no quieres comprar unos zapatos?

Gloria: Sí. Quiero unos zapatos rojos.

Isabel: ¿Rojos? ¿Y cuánto quieres pagar?

Gloria: Unos cuarenta euros.

Isabel: Entonces, vamos a otra tienda. Hay unos zapatos muy bonitos en la Zapatería Morales y no cuestan mucho, pero pienso que cierran en diez minutos.

ESCUCHAR ACTIVIDAD B

HL CD 3, Track 22

Escucha el siguiente audio. Luego, completa la actividad B.

¡Señoras y señores! ¡Atención, por favor! En cinco minutos nuestra tienda empieza con sus precios especiales de verano. ¿Quieren ropa buena a precios fantásticos? Tienen que mirar todo lo que tenemos. ¿Piensan practicar deportes este verano? Hay camisetas y pantalones cortos de todos los colores. Las camisetas cuestan sólo cinco euros. Y si ustedes compran dos, les regalamos la tercera. Los pantalones cortos para hombres cuestan tan sólo seis euros, y los de mujeres, siete. Señoras, ¿piensan ir a fiestas este verano? Tenemos vestidos largos muy elegantes a cuarenta euros y zapatos muy bonitos a treinta. Para los señores y chicos hay pantalones desde quince euros ¡y zapatos a precios fantásticos! Sólo cuestan quince euros. Y si ustedes tienen frío este verano tenemos chaquetas y gorros para todos. Las chaquetas cuestan veintidós euros y los gorros, tres. Pero tienen que comprar ahora. ¡Nuestra tienda cierra en dos horas!

Audio Scripts

UNIDAD 4, LECCIÓN 2
TEXTBOOK SCRIPTS
TXT CD 4

PRESENTACIÓN DE VOCABULARIO

Level 1 Textbook pp. 218-219

Level 1A Textbook pp. 246-248

TXT CD 4, Track 12

A: En el centro de Madrid hay muchos lugares para comer. Maribel y yo queremos ir a la calle de Alcalá para encontrar un buen restaurante. ¿Vamos a pie, en coche o en autobús?

B: En el menú hay muchos platos principales. Si te gusta la carne, hay bistec. Si no, también hay pescado.

C: La cuenta es veinticinco euros. ¿Cuánto dinero necesitamos para la propina?

D: Tomamos el autobús para ir al cine. Vamos al Cine Ideal para ver una película.

E: Aquí en Madrid también hay teatros y parques pero yo prefiero ir a un concierto para escuchar música.

F: Vamos a un café. De postre nos gusta pedir un pastel. Después, Maribel está muy cansada. Es la hora de dormir.

En España se dice...

In Spain the word for cake is *la tarta*. The word for beans is *las alubias*.

¡A RESPONDER!

Level 1 Textbook p. 219

Level 1A Textbook p. 248

TXT CD 4, Track 13

Listen to the waiter. Point to the photo with the food that he mentions.

1. la ensalada
2. el pescado
3. las patatas
4. el bistec
5. el pollo
6. las verduras
7. el arroz
8. el pastel

TELEHISTORIA ESCENA 1

Level 1 Textbook p. 221

Level 1A Textbook p. 250

TXT CD 4, Track 14

Enrique: ¿Trini Salgado está en el centro comercial del Parque de las Avenidas a las doce?

Maribel: Sí. Y ya es tarde. Enrique, ¡por favor!

Enrique: ¡Vale! ¿Y cómo vamos a llegar allí? ¿En autobús?

Maribel: Podemos empezar aquí en el parque. El centro comercial está allí. ¿Cuál es la calle?

Enrique: Calle Poveda. ¡Es fácil! Tomamos el autobús al centro. Vamos a pie a la biblioteca—aquí. Mi madre está allí. Ella tiene coche. ¡Llegamos al centro comercial en coche!

Maribel: ¡Pero, Enrique! Son las once y cuarenta y cinco. Vamos a llegar tarde. ¿Qué voy a hacer?

Enrique: ¡Ah! El autobús setenta y cuatro va al centro comercial. Llega aquí a las doce y llega al centro comercial a las doce y media.

Maribel: ¡Vale!

TELEHISTORIA ESCENA 2

Level 1 Textbook p. 226

Level 1A Textbook p. 256

TXT CD 4, Track 15

Enrique: ¿Qué vas a hacer hoy por la tarde?

Maribel: Después de ir de compras, quiero volver al centro. Hay un concierto de música rock, o puedo ir al cine a ver una película…¡o puedo ir al teatro!

Enrique: ¡Un concierto de rock! ¿Puedo ir?

Maribel: Mmm… ¡quiero ir al teatro! Vamos al teatro.

Enrique: ¿Al teatro? Pero las entradas cuestan mucho, y…

Enrique: ¡Vale! Vamos al teatro.

Maribel: No, vamos al concierto.

Enrique: ¡Muy bien! Voy a comprar las entradas.

Maribel: ¡Pero, Enrique! El autobús…

Enrique: La ventanilla está allí, cerca del café. Vuelvo en dos minutos.

Maribel: ¡La camiseta! ¡No encuentro la camiseta! ¡Enrique!

PRONUNCIACIÓN

Level 1 Textbook p. 229

Level 1A Textbook p. 259

TXT CD 4, Track 16

La letra **c** con **e, i**

Before **e** and **i,** the Spanish **c** is pronounced like the *c* in *city*.

Listen and repeat.

ce

cero

centro

cerrar

quince

ci

cien

cine

precio

estación

In many regions of Spain, the **c** before **e** and **i** is pronounced like the *th* of the English word *think*.

ce

cero

centro

cerrar

quince

ci

cien

cine

precio

estación

ACTIVIDAD 13 (16) - ¿QUÉ SIRVEN EN EL CAFÉ?

Level 1 Textbook p. 230

Level 1A Textbook p. 260

TXT CD 4, Track 17

Enrique is in a café and is talking to the waiters and waitresses. Write sentences to tell what these people are serving.

Enrique: Hola, soy Enrique. Estoy en el Café Moderno. ¡Los camareros trabajan mucho hoy! Ahora sirven pollo y arroz. Señor Fuentes, ¿qué sirve usted?

Sr. Fuentes: Sirvo bistec y patatas.

Enrique: Camarero, ¿vas a servir brócoli?

Camarero: Sí, lo sirvo ahora.

Camarera: Hola. Soy camarera. Ahora sirvo un pescado. Es muy rico.

Enrique: Luis y José, ¿qué servís vosotros?

Luis: Servimos verduras. Son muy nutritivas.

Enrique: Hola, Ana. ¿Qué sirves después de los platos principales?

Ana: De postre, sirvo un pastel de frutas. Es más nutritivo que un pastel de chocolate.

TELEHISTORIA COMPLETA

Level 1 Textbook p. 231

Level 1A Textbook p. 262

Audio Scripts

TXT CD 4, Track 18

Escena 1 – Resumen

Enrique y Maribel pueden tomar el autobús setenta y cuatro al centro comercial. Piensan llegar a las doce y media.

Escena 2 – Resumen

Enrique va a comprar las entradas para un concierto. El autobús llega pero Enrique no está. Maribel no tiene la camiseta.

Escena 3

Enrique: Es un restaurante muy bonito.

Maribel: Pero no tengo el autógrafo de Trini.

Enrique: Vamos a pedir la comida. ¡Yo pago!

Maribel: Ah, ¿pagas tú? Ahora pido toda la comida del menú.

Maribel: Señor, ¿sirven pescado hoy?

Camarero: No, hoy no tenemos pescado.

Maribel: Quiero empezar con una ensalada. De plato principal quiero el pollo con verduras y… Sí, y filete con patatas.

Camarero: ¿Dos platos principales? ¿Filete y pollo?

Enrique: Es mucho, ¿no?

Maribel: Sí. Y de postre quiero un arroz con leche.

Enrique: Pan y agua, por favor.

Maribel: Él va a pagar la cuenta.

Enrique: ¡Maribel! ¡Mi mochila! ¡No tengo dinero!

Maribel: Ay, Enrique, yo sí tengo dinero.

ACTIVIDAD 18 (22) - INTEGRACIÓN

Level 1 Textbook p. 233

Level 1A Textbook p. 264

TXT CD 4, Track 19

Read the pamphlet and listen to the guide. Describe five activities you are going to do, where, and how you can get there.

FUENTE 2 ANUNCIO DEL GUÍA TURÍSTICO

TXT CD 4, Track 20

Listen and take notes.

¿Qué actividades menciona el guía?

¿En qué lugares puedes hacer las actividades?

Hay muchas actividades hoy en el centro. Si quieres ver una película en inglés, hay películas de Estados Unidos en el Cine Ábaco. Pero, si te gustan las películas de España, puedes

ir a la Biblioteca Nacional. Hoy en el Restaurante Oberón sirven paella y pescado. En el Café Almadro hay pasteles y café. También puedes pasear en el Parque del Buen Retiro. O, si prefieres escuchar música rock, hay un concierto en la Plaza de la Moncloa. Hay otro concierto, de música clásica, en el Teatro Marquina. ¡Ah! Otra actividad… puedes ir de compras en el centro comercial. Pero necesitan volver al hotel a las seis, ¿vale?

LECTURA CULTURAL: EL FIN DE SEMANA EN ESPAÑA Y CHILE

Level 1 Textbook pp. 234-235

Level 1A Textbook pp. 266-267

TXT CD 4, Track 21

Los habitantes de Madrid, España, y Santiago de Chile hacen muchas actividades en el fin de semana. Van a parques, restaurantes, teatros, cines y otros lugares divertidos. También van de compras.

En Madrid hay muchos lugares interesantes para pasar los fines de semana. La Plaza Mayor tiene muchos cafés y restaurantes. Hay un mercado de sellos los domingos. El Parque del Buen Retiro es un lugar perfecto para descansar y pasear. En este parque hay jardines, cafés y un lago donde las personas pueden alquilar botes. Hay conciertos allí en el verano. Otro parque popular es la Casa del Campo. Hay un zoológico, una piscina, un parque de diversiones y un lago para botes.

Hay muchas tiendas en el centro. El almacén más grande es El Corte Inglés: allí los madrileños pueden comprar ropa, comida y mucho más.

En Santiago de Chile las personas pasan los fines de semana en muchos lugares. Siempre hay mucha actividad en la Plaza de Armas, la parte histórica de Santiago. Hay conciertos allí los domingos.

El parque del Cerro Santa Lucía es perfecto para pasear. Los santiaguinos pueden ver jardines y el panorama de Santiago. El Cerro San Cristóbal en el Parque Metropolitano es un lugar favorito para comer, correr y montar en bicicleta. Hay jardines, piscinas, un zoológico, cafés y restaurantes en el parque.

Los santiaguinos van a tiendas en el centro y a centros comerciales como Alto Las Condes. En el Mercado Central pueden comprar pescado y frutas y comer en restaurantes con precios baratos.

REPASO: ACTIVIDAD 1 – LISTEN AND UNDERSTAND

Level 1 Textbook p. 238

Level 1A Textbook p. 270

TXT CD 4, Track 22

Listen to the conversation in a restaurant. Then answer the questions.

Raúl: Una mesa para dos.

Camarero: ¿Para dos? Por aquí, por favor. En el menú ustedes van a ver los platos principales. Todos son ricos.

Raúl: Mmmm. Me gusta mucho el bistec. Voy a pedir el bistec con arroz. Y para beber, quiero un refresco.

Camarero: Muy bien. ¿Y para usted, señorita?

Tere: Prefiero el pescado con una ensalada. Y para beber, un jugo, por favor.

Camarero: ¿Van a pedir postre después?

Raúl: Sí, pero no encuentro los postres en el menú… Ah, aquí están. De postre quiero el pastel de manzana.

Tere: Yo prefiero el helado.

Camarero: El pastel para el señor y el helado para la señorita. Vuelvo en un minuto.

COMPARACIÓN CULTURAL: ¿ADÓNDE VAMOS EL SÁBADO?

Level 1 Textbook pp. 240-241

Level 1A Textbook pp. 272-273

TXT CD 4, Track 23

Narradora: Guatemala. Anita.

Anita: ¿Qué tal? Soy Anita y me gusta escuchar música folklórica. El sábado mis amigos y yo pensamos ir a un concierto de marimba en el centro. Las entradas no cuestan mucho y los conciertos son muy buenos. ¿Qué ropa voy a llevar? Quiero llevar un vestido porque es primavera y hace calor. Mis amigos prefieren llevar camisetas y jeans.

Narradora: España. Rodrigo.

Rodrigo: ¡Hola! Me llamo Rodrigo y vivo en Madrid. El sábado quiero ir de compras con mi hermano. Siempre necesito comprar camisetas y calcetines. Muchas veces los encuentro en el centro comercial. Se llama Xanadú y tiene tiendas, restaurantes y ¡un parque de nieve! Allí puedes practicar deportes de invierno durante todo el año. A mi hermano le gusta la nieve en el verano, pero a mí no. En el verano ¡prefiero tener calor!

Narradora: Chile. Armando.

Armando: ¡Hola! Me llamo Armando y soy de Santiago, Chile. En septiembre puedes ir a muchos rodeos porque hay muchas fiestas nacionales en Chile. El sábado voy a ir a un rodeo

Audio Scripts

con mis amigos para ver a los huasos . Pienso llevar unos jeans nuevos y una chaqueta porque no quiero tener frío. Quiero llevar un sombrero de vaquero, pero no puedo. ¡Cuestan mucho!

REPASO: ACTIVIDAD 1 – LISTEN, UNDERSTAND AND COMPARE

Level 1 Textbook p. 242

Level 1A Textbook p. 274

TXT CD 4, Track 24

Listen to Mrs. Estrada and her son, Carlitos, order a meal at a restaurant. Then answer the questions.

Camarero: Buenas tardes. ¿Ustedes van a pedir ahora?

Carlitos: Sí. Tengo ganas de comer papas fritas.

Sra. Estrada: No, no. Hoy no vas a comerlas.

Camarero: ¿Quieren empezar con sopa? También servimos unas ensaladas muy ricas.

Carlitos: Bueno... Empiezo con sopa, y de plato principal, pollo con papas fritas.

Sra. Estrada: Está bien. Yo tengo mucha hambre. Quiero empezar con una ensalada de tomates. Y de plato principal... el pescado.

Camarero: Perdón, señora, hoy no lo servimos. ¿Prefiere otro plato?

Sra. Estrada: Bueno... yo también pido el pollo, pero con frijoles.

Camarero: ¿Y para beber?

Carlitos: Un refresco.

Sra. Estrada: Y yo voy a beber agua.

Camarero: Muy bien. Vuelvo en un minuto con las bebidas.

WORKBOOK SCRIPTS
WB CD 2

INTEGRACIÓN HABLAR

Level 1 Workbook p. 180

Level 1A Workbook p. 183

WB CD 2, Track 31

Listen to the review of the movie on a radio program. Take notes.

FUENTE 2

WB CD 2, Track 32

Usted tiene que mirar la película más interesante de estos días: ¿Dónde está mi hijo?

Una madre no puede encontrar a su hijo menor en un restaurante. La mujer está muy triste. No lo encuentra.

Un día, quince años después, una mujer vieja va a otro restaurante. Ella pide al camarero la cuenta. La mujer mira al joven y entiende que es su hijo. Es una buena película. ¿Dónde está mi hijo? Esta semana, en todos los cines.

INTEGRACIÓN ESCRIBIR

Level 1 Workbook p. 181

Level 1A Workbook p. 184

WB CD 2, Track 33

Listen to Ramiro's voicemail to Liliana. Take notes.

FUENTE 2

WB CD 2, Track 34

Hola, soy Ramiro. ¿Podemos ir al Restaurante de la Abuela a la una? La comida allí es muy rica y los camareros son muy simpáticos. Tú no comes carne pero hay otros platos. Sirven muchas verduras también. Yo quiero pedir el pollo, y un postre... ¡tal vez dos!

ESCUCHAR A: ACTIVIDAD 1

Level 1 Workbook p. 182

Level 1A Workbook p. 185

WB CD 2, Track 35

Listen to Norberto. Then, read each statement and answer cierto (true) or falso (false).

Norberto

Hola, me llamo Norberto. Hoy, Mariela y yo vamos al cine. Tengo que comprar las entradas en la ventanilla dos horas antes de la película. Las entradas cuestan seis euros por persona. Yo llego temprano para comprarlas. Hoy vamos a ver la película "Cinco hermanos". Voy a estar en la puerta del cine a las tres.

ESCUCHAR A: ACTIVIDAD 2

Level 1 Workbook p. 182

Level 1A Workbook p. 185

WB CD 2, Track 36

Listen to Mariela. Then answer the following questions.

¡Qué problema! Me llamo Mariela. Es muy tarde y tengo que estar a las tres en la puerta del cine. Tengo que ir en autobús porque a pie no llego a tiempo. Es mejor ir en coche. El autobús viene en quince minutos y no puedo llegar tarde.

ESCUCHAR B: ACTIVIDAD 1

Level 1 Workbook p. 183

Level 1A Workbook p. 186

WB CD 2, Track 37

Listen to Carmen and take notes. Then, draw a line from each person to his or her order.

Me llamo Carmen. Mis amigos y yo vamos todos los viernes a comer a un restaurante muy bonito. Julio pide un bistec y patatas, Andrés pide pollo y arroz, Norma pide pescado y verduras. Yo siempre pido ensalada. Todos pedimos postre.

ESCUCHAR B: ACTIVIDAD 2

Level 1 Workbook p. 183

Level 1A Workbook p. 186

WB CD 2, Track 38

Listen to the waiter and take notes. Then answer the following questions in complete sentences.

Yo trabajo en el restaurante de la calle Madrid. Vienen muchas personas todos los días, pero los viernes vienen más personas que los otros días. A ellos les gusta la comida y siempre vuelven. En la mesa, siempre encuentro propina con la cuenta.

ESCUCHAR C: ACTIVIDAD 1

Level 1 Workbook p. 184

Level 1A Workbook p. 187

WB CD 2, Track 39

Listen to Francisco and take notes. Then, complete the sentences below.

Yo soy Francisco y toco la guitarra con amigos. Hoy tenemos un concierto. Vamos al teatro y el concierto empieza a las cinco. La entrada del concierto cuesta dos euros. No pedimos mucho porque somos nuevos aquí.

ESCUCHAR C: ACTIVIDAD 2

Level 1 Workbook p. 184

Level 1A Workbook p. 187

WB CD 2, Track 40

Listen to Olga and Nicolás. Then answer the questions below in complete sentences.

Olga: ¿Vamos al teatro a las dos? ¿Puedes ir?

Nicolás: Sí. ¿Qué hay en el teatro a las dos?

Olga: Hay un concierto de música rock a las cinco.

Nicolás: ¿A las cinco? Entonces, ¿por qué vamos a las dos?

Olga: Porque quiero almorzar en el centro.

Nicolás: ¡Vale! Pero vuelvo temprano. Necesito dormir ocho horas. ¿Cuánto cuesta la entrada?

Olga: No cuesta mucho: dos euros.

Audio Scripts

ASSESSMENT SCRIPTS
TEST CD 1

LESSON 2 TEST: ESCUCHAR ACTIVIDAD A

Modified Assessment Book p. 131

On-level Assessment Book p. 171

Pre-AP Assessment Book p. 131

TEST CD 1, Track 23

Listen to the following audio. Then complete Activity A.

Cristina: Roberto, ¿vamos al centro?

Roberto: ¿A qué hora vamos?

Cristina: Podemos ir a pie a las once de la mañana.

Roberto: Bien.

Cristina: Podemos almorzar en el café al lado del parque.

Roberto: Después del almuerzo, ¿por qué no vamos al cine para ver una película?

Cristina: ¿Quieres ir al cine? O tal vez vamos al teatro.

Roberto: Sí, Cristina, prefiero ir al teatro pero, ¿podemos comprar las entradas para el teatro hoy?

Cristina: Sí, compramos las entradas en el teatro. Después del teatro, vamos de compras. Necesito comprar ropa para un cumpleaños.

Roberto: Está bien, Cristina. También podemos comer en un restaurante.

Cristina: Sí, comemos en el restaurante La Familia. Está cerca del teatro y tiene pollo y pescado muy rico.

Roberto: No me gusta el pollo y no me gusta el pescado. Prefiero el bistec.

Cristina: Está bien, Roberto. Puedes comer el bistec también.

Roberto: ¿A qué hora volvemos?

Cristina: Volvemos en autobús a las diez.

LESSON 2 TEST: ESCUCHAR ACTIVIDAD B

Modified Assessment Book p. 131

On-level Assessment Book p. 171

Pre-AP Assessment Book p. 131

TEST CD 1, Track 24

Listen to the following audio. Then complete Activity B.

Buenas noches. Tenemos muchos platos ricos hoy. Yo prefiero el pollo. Lo servimos con arroz amarillo y frijoles. Es un plato muy rico. También tenemos carne y pescado. Servimos todos los platos principales con una ensalada. De postre me gusta más el pastel de manzana. Para beber, tenemos agua, refrescos y jugos.

UNIT 4 TEST: ESCUCHAR

UNIT 4 TEST: ESCUCHAR ACTIVIDAD A

Modified Assessment Book p. 143

On-level Assessment Book p. 183

Pre-AP Assessment Book p. 143

TEST CD 1, Track 25

Listen to the following audio. Then complete Activity A.

Sancha: Mamá, necesito ropa para el verano. Necesito diez camisetas.

La madre: ¡Diez camisetas! ¿Qué vas a hacer con diez camisetas?

Sancha: Bueno, cinco camisetas y tres pantalones cortos. Me gustan los pantalones rojos, verdes y negros.

La madre: ¿Y tu vestido negro para ir al restaurante en la noche?

Sancha: No sé, no lo encuentro. Puedo llevar al restaurante unos pantalones y una blusa.

La madre: Muy bien. Tienes los pantalones azules y la blusa blanca. ¡Tienes mucha ropa para el verano!

Sancha: Sí, pero no tengo sombrero y muchas veces tengo mucho calor y necesito llevar un sombrero.

La madre: Bueno, Sancha, ¿quieres comprar un sombrero? Aquí tienes quince dólares. Puedes ir de compras en la tienda que está cerca de tu escuela.

Sancha: Muchas gracias, mamá. Me gusta ir de compras.

UNIT 4 TEST: ESCUCHAR ACTIVIDAD B

Modified Assessment Book p. 143

On-level Assessment Book p. 183

Pre-AP Assessment Book p. 143

TEST CD 1, Track 26

Listen to the following audio. Then complete Activity B.

El restaurante El Menú es el mejor lugar para comer con amigos o con la familia. Estamos en el centro, en la calle setenta y cinco al lado del teatro. Servimos la cena todos los días. Empezamos a las seis y cerramos a las once de la noche. En el menú vas a encontrar muchos platos. El pescado es muy rico. Lo servimos con verduras. Tenemos precios muy buenos. ¡Un plato principal cuesta diez dólares!

MIDTERM: ESCUCHAR ACTIVIDAD A

Modified Assessment Book p. 155

On-level Assessment Book p. 195

Pre-AP Assessment Book p. 155

TEST CD 1, Track 27

Listen to the following audio. Then complete Activity A.

Conversation 1

Female A: ¿Cuánto cuesta la chaqueta verde?

Male A: Cuesta 100 euros.

Female A: ¡Es mucho dinero!

Conversation 2

Señora: Señor, la cuenta por favor.

Camarero: Sí, señora, aquí está la cuenta.

Señora: Aquí tiene el dinero.

Camarero: Pero . . . ¿y la propina?

Conversation 3

Male C: ¿Te gusta la comida de la escuela?

Female C: No, no me gusta.

Male C: ¿Por qué?

Female C: No me gusta esta hamburguesa. Es horrible y no es nutritiva.

Male C: Bueno, tenemos que comer. Tenemos clase a la una.

Conversation 4

Male D: ¿Adónde vas?

Female D: Voy a la clase de arte.

Male D: ¿Dónde está la clase?

Female D: Está al lado de la biblioteca.

Conversation 5

Male E: Dos entradas, por favor.

Female E: Aquí tiene.

Male E: ¿A qué hora empieza la película?

Female E: La película empieza a las cinco.

MIDTERM: ESCUCHAR ACTIVIDAD B

Modified Assessment Book p. 155

On-level Assessment Book p. 195

Pre-AP Assessment Book p. 155

TEST CD 1, Track 28

Listen to the following audio. Then complete Activity B.

Andrés: Hola, Cristina, ¿Cómo estás?

Cristina: Bien, ¿y tú?

Andrés: Estoy más o menos bien. ¿Te gustan las clases?

Cristina: Sí, me gustan mucho. Me gusta la clase de historia. Yo saco buenas notas y el maestro es muy cómico.

Andrés: Siempre haces la tarea, ¿verdad?

Cristina: Sí, hago la tarea todas las noches.

Andrés: A mí también me gusta la clase de historia pero no me gusta la clase de matemáticas. Es muy difícil y la clase es un poco aburrida.

Audio Scripts

Cristina: ¿Tú estudias mucho para la clase de matemáticas?

Andrés: No, Cristina, no estudio mucho.

Cristina: Andrés, ¿qué hora es?

Andrés: Son las dos y cuarto.

Cristina: ¡Ay no!, la clase de matemáticas empieza a las dos.

HERITAGE LEARNERS SCRIPTS
HL CDS 1 & 3

INTEGRACIÓN HABLAR

Level 1 HL Workbook p. 182

Level 1A HL Workbook p. 185

HL CD 1, Track 29

Escucha el mensaje que dejó Francisco López a su amiga Magali. Toma nota y responde a las preguntas.

FUENTE 2

HL CD 1, Track 30

Magali, habla Francisco. Mi primo Humberto llegó a Madrid esta mañana. Yo voy a pasar por ti a las nueve porque estoy seguro que tú vas a tener un buen plan para entretenerlo. A él le gusta la música rock pero también es un poco serio. Le encanta el cine y la comida italiana. ¿Qué sugerencias tienes? Háblame cuando puedas.

INTEGRACIÓN ESCRIBIR

Level 1 HL Workbook p. 183

Level 1A HL Workbook p. 186

HL CD 1, Track 31

Escucha la descripción que una organizadora de intercambios estudiantiles a España, hace de La Tomatina. Toma apuntes y después realiza la actividad.

FUENTE 2

HL CD 1, Track 32

Uno de los festivales más interesantes y divertidos de España es La Tomatina, en Buñol. Buñol es una ciudad pequeña que está a 30 millas de Valencia. Puedes llegar ahí por tren o por carro. El festival dura una semana y culmina con la gran pelea de tomates el último miércoles de agosto. Toda la semana hay muchas cosas qué hacer. Puedes ver desfiles, espectáculos de juegos pirotécnicos y oír conciertos de música. Hay un evento que no te puedes perder: el concurso de paellas la noche anterior a la pelea con tomates. Toda la ciudad se llena del olor a paella. ¡Es delicioso!

LESSON 2 TEST: ESCUCHAR ACTIVIDAD A

HL Assessment Book p. 137

HL CD 3, Track 23

Escucha el siguiente audio. Luego, completa la actividad A.

Camarero: Buenas tardes, soy José, y voy a ser su camarero esta tarde. El plato especial del día es la paella. Es riquísima.

Sra. López: Pues, voy a tomar la paella de plato principal. ¿Me puede servir una ensalada antes?

Camarero: Sí, señora. ¿Y qué va a beber?

Sra. López: Todos vamos a beber agua mineral.

Sr. López: Para mí, una sopa de brócoli para empezar. Luego, de plato principal, el bistec con patatas.

Camarero: ¿Y para usted, señorita?

Sandra: No voy a almorzar mucho porque no tengo mucha hambre. Voy a tomar el pescado.

Sandra: ¿Qué pasa con nuestro almuerzo? Ya son las dos y quiero ir al teatro con Isabel a las tres. Si encontramos entradas, vamos a ver *En el parque.*

Sra. López: ¿Y qué van a hacer si no encuentran entradas?

Sandra: Vamos al cine. Siempre hay entradas.

Camarero: ¡Aquí está su almuerzo! Vamos a ver...la ensalada de verduras para el señor, el pescado para la...

Sr. López: No. Voy a empezar con la sopa de brócoli.

Camarero: Es verdad. Pero para la señora, el pescado...

Sandra: ¡No! Yo voy a comer el pescado.

Camarero: Ah, sí. Perdón. El pescado para usted, y el bistec para la señora...

Sra. López: No, el señor va a tomar el bistec. Yo quiero la paella.

Camarero: Un momento.

Camarero: Su ensalada, señora. Y la sopa de brócoli para usted, señor.

Sra. López & Sr. López: Gracias.

Camarero: Y para beber, tres refrescos.

Sra. López: ¡No! Una botella de agua mineral.

Camarero: Sí, sí. Un momentito.

Sr. López: Es un camarero desorganizado. No vuelvo más a este restaurante.

ESCUCHAR ACTIVIDAD B

HL Assessment Book p. 137

HL CD 3, Track 24

Escucha el siguiente audio. Luego, completa la actividad B.

Marisa: Oye, Laura, ¿qué vas a hacer esta tarde?

Laura: Voy al centro porque voy a comprar entradas para el concierto de Los del Sur.

Marisa: ¿Vas a ir a su concierto?

Laura: Si encuentro entradas, sí.

Marisa: ¿Cuándo es?

Laura: Esta noche a las nueve. Ahora voy a tomar el autobús número setenta y seis porque si voy allí a pie no llego a tiempo.

Marisa: ¿A qué hora cierran las ventanillas?

Laura: Hoy van a cerrar a las cuatro. Y ya son las tres y media.

Marisa: ¿Cuánto cuesta una entrada?

Laura: Las buenas cuestan unos 30 euros, pero voy a ver si encuentro entradas de cinco a 20 euros. Vamos a ir mi hermana, tres primos y yo.

Marisa: ¿Puedo ir contigo? ¡Me gustan Los del Sur! Tocan la mejor música rock de España. Y si encontramos entradas a 20, voy a comprar dos. Así, mi hermana puede ir también.

Laura: ¡Claro que sí, pero vamos a tomar el autobús ahora! Vamos a comprar las entradas y después vuelvo a casa antes de las cinco.

Marisa: ¿Por qué vuelves tan temprano a casa?

Laura: Voy a dormir un poco antes del concierto. Duermo una o dos horas porque el concierto va a terminar a las doce de la noche. Volvemos a casa muy tarde y no quiero estar cansada mañana porque voy a jugar al fútbol con unos amigos en el parque.

UNIT 4 TEST: ESCUCHAR ACTIVIDAD A

HL Assessment Book p. 149

HL CD 3, Track 25

Escucha el siguiente audio. Luego, completa la actividad A.

Carla: ¡Tengo mucho frío!

Teresa: ¡Claro, llevas tan sólo una blusa y pantalones cortos. Tenemos que ir de compras. Aquí, en Madrid, puede hacer un poco de frío en marzo.

Carla: ¿Y toda la ropa que tengo es de verano!

Teresa: No importa. Tienes suerte. Estamos en un centro comercial muy bueno donde encuentras mucha ropa a buenos precios.

Carla: Bueno... Necesito unos jeans, una chaqueta y un gorro. ¿Pero cuánto tengo que pagar? No tengo muchos euros.

Audio Scripts

Teresa: No hay problema, Carla. En la tienda Grandes Gangas todo cuesta menos de 20 euros. Necesitas un gorro, ¿verdad? Aquí hay muchos y de todos los colores... amarillos, rojos, negros, blancos. Uno cuesta 5 euros, pero si compras dos te cuestan sólo ocho euros.

Carla: Tienes razón, Teresa, los precios son fantásticos. Voy a comprar dos gorros, y quiero comprar la chaqueta roja y los jeans también.

Teresa: Y todo esto por 35 euros.

Carla: Me gusta esta tienda. Aquí hay vestidos y cuestan 15 euros, y los sombreros...¡québonitos son! Cuestan 7 euros y las blusas... ¿por qué no pides el precio de las blusas, porque si cuestan menos de 10 euros, voy a comprar dos. ¿Te gustan? ¿Teresa?

Teresa: ¡Ay, Carla, estoy muy cansada! ¿Por qué no almorzamos algo ahora y luego vuelves tú a la tienda? Tengo hambre.

Carla: Vale. Vamos a pedir algo en el café y luego vuelvo a Grandes Gangas. No quiero perder mucho tiempo.

Teresa: ¿Por qué?

Carla: ¡Porque es muy divertido ir de compras!

ACTIVIDAD B

HL Assessment Book p. 149

HL CD 3, Track 26

Escucha el siguiente audio. Luego, completa la actividad B.

Andrés: ¿Adónde vamos a comer? ¡Tengo mucha hambre!

Paco: Vamos al centro. Hay un restaurante muy bueno en la calle Reina. Sirven la mejor paella de Madrid.

Andrés: ¿Qué tiene la paella? ¿Carne? ¿Patatas? ¿Brócoli? A mí no me gusta mucho el brócoli.

Paco: ¡No, no! En vez de patatas, tiene arroz. Y también pollo o pescado.

Andrés: ¡Paella! Me va a gustar mucho porque me gusta el arroz.

Paco: Si te gusta tanto el arroz, de postre vamos a pedir arroz con leche.

Andrés: Vale. Oye, Paco, ¿cómo vamos al restaurante? Son casi las tres, ¿no van a cerrar pronto?

Paco: No, Andrés, en España generalmente comemos a las dos y media. Los restaurantes no cierran hasta las cuatro o las cuatro y media. Luego abren a las nueve, para la cena.

Andrés: ¡Pero si ustedes nunca duermen!

Paco: Sí, dormimos. Cuando las personas pueden, echan una pequeña siesta por la tarde.

Andrés: ¿Pero como vamos al restaurante? ¿En tu coche? ¿En autobús?

Paco: No, mejor a pie porque está muy cerca.

Andrés: ¿Y qué comes con la paella? ¿Pides primero una sopa o unas verduras?

Paco: Generalmente pido una ensalada. Las ensaladas son muy ricas en este restaurante.

Andrés: ¿Y hay que dejar propina?

Paco: ¡Claro! Pero no hay problema, Andrés. Yo te invito hoy.

EXAMEN SEMIFINAL: ESCUCHAR ACTIVIDAD A

HL Assessment Book p. 161

HL CD 3, Track 27

Escucha el siguiente audio. Luego, completa la actividad A.

María Elena: Hola, soy María Elena. Brrrr. Tengo frío. Quiero comprar ropa de invierno. Tengo que comprar una chaqueta, un gorro y unos pantalones. Y si veo unos zapatos o vestidos bonitos, los compro también. ¡Me gusta ir de compras!

Javier: Buenas tardes. Soy Javier y esta tarde mi hermano mayor y yo vamos a ir en coche al café Sol y Sombra. Es un lugar en el centro de la ciudad y es muy popular. Puedes beber un refresco o un café, o también puedes almorzar o cenar allí. Sirven los mejores sándwiches de la ciudad, y las sopas son muy ricas.

Emilia: ¿Qué tal? Me llamo Emilia. Hoy es sábado y no tengo clases, pero tengo que hacer muchas cosas. Primero tengo que devolver tres libros a la biblioteca. Segundo, tengo que mirar una película en la televisión y comer un sándwich. Después, voy al centro porque tengo que comprar cinco entradas para un concierto de música rock esta noche.

Jaime: Hola, soy Jaime y estoy un poco enojado hoy porque no encuentro mis libros. Tengo que tomar el autobús en cinco minutos y no veo dónde está mi libro de historia. Tampoco encuentro la calculadora para la clase de matemáticas. Si no los encuentro no puedo estudiar ¿Pueden estar dentro de la mochila? ¡Sí, aquí están, y también están miscuadernos y calculadora.

Ana: ¿Qué hay? Soy Ana. Todos los viernes después de la escuela voy con mis amigas alcentro. Allí, siempre paseamos una hora en el parque y luego vamos a un café para tomar unos refrescos. Después, vamos a casa de una de mis amigas y escuchamos música o hablamos. De vez en cuando preparamos la cena. Si no la preparamos, pedimos una pizza con verduras.

ACTIVIDAD B

HL Assessment Book p. 161

HL CD 3, Track 27

Escucha el siguiente audio. Luego, completa la actividad B.

Carmen: Hola, Felipe, ¿qué tal? ¿De quién es el coche? ¡Es muy bonito!

Felipe: ¿Te gusta? Es de mi hermano Paco, pero esta tarde es mi coche. ¿Quieres subir?

Carmen: ¡Claro! Tengo que ir al centro comercial y casi siempre voy allí a pie y vuelvo en autobús, pero ir en coche es mucho mejor. ¡Gracias!

Felipe: ¿Y por qué tienes que ir al centro comercial?

Carmen: Tengo que ir porque trabajo allí. Trabajo en el Café Sol y Sombra.

Felipe: ¡Me gusta ese café! La comida es buenísima. Y me gustan los precios allí también. Puedes comer muy bien y no tienes que pagar mucho.

Carmen: Sí, es cierto. ¿Comes allí muchas veces?

Felipe: Voy con mis amigos todos los viernes, después de las clases y antes de ir al cine. Y también vamos todos los sábados para almorzar.¿Y qué haces en el café?

Carmen: Soy camarera.

Felipe: ¿Te pagan bien?

Carmen: No me pagan mucho, pero las propinas son bastante buenas.

Felipe: ¿Y qué días trabajas allí? ¿Sólo los fines de semana?

Carmen: Sí, los viernes, sábados y domingos, y de vez en cuando, los miércoles de cuatro a ocho.

Felipe: Trabajas mucho. ¿Cuándo estudias?

Carmen: Soy una persona muy organizada y siempre encuentro tiempo para estudiar... y duermo poco. Quiero trabajar porque este verano pienso viajar a España. Quiero estudiar allí unas semanas.

Felipe: ¡Buena idea! Bueno... aquí estamos. Te veo luego.

Map/Culture Activities *España*

❶ Spain can be found southwest of France on a peninsula shared with Portugal. What is the name of that peninsula?

_____

❷ In addition to the land on the peninsula, two groups of islands also form part of Spain: **las Islas Baleares** and **las Islas Canarias**. Find these islands on the map and label the body of water in which each group can be found.

❸ What is the capital of Spain? Write its name on the map above. Some of Spain's largest cities are listed below. Match each one with the primary language spoken there. Then, label each city on the map above.

1. ____ Barcelona   **a.** castellano

2. ____ Bilbao   **b.** catalán

3. ____ La Coruña   **c.** gallego

4. ____ Sevilla   **d.** vasco

❹ Spain's languages, foods, and traditions have been influenced by many cultures. Which three countries do you think have had the greatest impact on Spain? Why?

_____

_____

_____

_____

Map/Culture Activities *Estados Unidos*

Don Quijote de la Mancha

1 You can find a list of some typical Spanish foods on page 190 of your book (L1A, page 214). Read the statements below and write which typical Spanish dish each person most likely would enjoy.

1. "Me gusta mucho comer huevos y patatas (*potatoes*)." _____

2. "Me gusta más la sopa." _____

3. "A mí me gusta arroz con mariscos y verduras (*shellfish and vegetables*)." _____

2 Match the famous Spanish people below with their most well-known achievements.

1. _____ Miguel Cervantes de Saavedra   **a.** *Don Quijote* en 1605

2. _____ Severo Ochoa   **b.** *Don Quijote* en 1955

3. _____ Salvador Dalí   **c.** *Premio Nobel de Fisiología y Medicina* en 1959

4. _____ Pablo Picasso   **d.** *Persistencia de la memoria* en 1931

3 In Spain, **fútbol** (*soccer*) is the most popular sport both to play and to watch. Is soccer popular where you live? What is the most popular sport to play in your city or town? What is the most popular sport to watch?

_____

_____

_____

_____

4 On page 191 of your book (L1A, page 215), you will find a photograph of some girls celebrating the **Feria de Abril**, an outdoor festival that takes place in Sevilla every year. Are there similar annual festivals or fairs that happen where you live? What are they like?

_____

_____

_____

UNIDAD 4

Map/Culture Activities

Unidad 4
Map/Culture Activities

84

¡Avancemos! 1
Unit Resource Book

Map/Culture Activities Answer Key

ESPAÑA

Page 83

1 La Península Ibérica

2 Refer to map above.

3 Refer to map above.

    1. b;   **2.** d;   **3.** c;   **4.** a

4 Answers will vary.

Page 84

1 **1.** tortilla española;   **2.** gazpacho;   **3.** paella

2 **1.** a;   **2.** c;   **3.** d;   **4.** b

3 Answers will vary.

4 Answers will vary.

Fine Art Activities

La persistencia de la memoria, Salvador Dalí

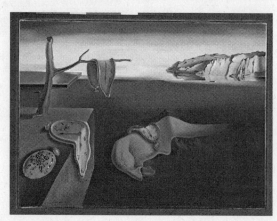

Salvador Dalí was born in Spain in 1904. He began painting as a child and, by
the age of 25, he was already a well-known artist. His most famous works are his
surrealist paintings. The most recognizable of these is *La persistencia de la memoria*.
Surrealist artists often depict common or easily recognizable objects in strange or
unusual settings. Sometimes they change the way these objects look, giving them a
dream-like or unreal appearance. Many of Dalí's paintings ask the viewer to question
the difference between reality and dreams.

1. **a.** At first glance, *La persistencia de la memoria* might look totally unrealistic to
   you. Study the painting and list at least three things that are portrayed realistically.
   What about these things makes them seem real?

   _____

   _____

   _____

   b. What do you see in the painting that appears dream-like or strange? List at least
   three things you think are unrealistic in the painting. What about these things
   makes them seem unreal?

   _____

   _____

   _____

2. What do you think Dalí was trying to say about time and memory in *La persistencia
   de la memoria*? Explain your answer using details from the painting.

   _____

   _____

   _____

Fine Art Activities

Village Festival with Aristocratic Couple,
David Teniers the Younger

David Teniers was born in Antwerp, Belgium in 1610. His father, David Teniers the Elder, was his first painting teacher, and he grew to surpass him in fame and success as an artist. He is known for his depictions of Flemish life, from daily peasant chores, to village feasts and gatherings, to paintings of aristocracy.

Study David Teniers the Younger's *Village Festival with Aristocratic Couple* and complete the following activities.

1. How does Teniers use color and light to show the important parts of the paintings?

    _____

    _____

    _____

    _____

2. If you were to paint a scene that showed a celebration of wealthy aristocrats in modern times, how would it differ from this painting? What setting would you choose? What might be happening in the painting?

    _____

    _____

    _____

    _____

Village Festival with Aristocratic Couple (1652), David Teniers. Oil on canvas, 31 1/2″ x 43″. Erich Lessing/Art Resource, NY.

Fine Art Activities

Las meninas, Diego Velázquez

Diego Velázquez was the court painter of the King of Spain from 1623 until his death in 1660. He is considered by many to be one of the greatest European painters. He is best known for his lifelike, almost photographic portraits of the royal family and other members of the King's court. Velázquez also is celebrated for his use of light and shadow to create realistic effects and to express meaning. *Las meninas* is one of his most widely recognized works. The painting depicts the young princess of Spain surrounded by her staff, or **meninas**.

1. a. Study *Las meninas* and put a check next to those things you see in the painting.

_____ A court jester   _____ A painter's palette

_____ A paintbrush   _____ A couple reflected in a mirror

_____ A nun   _____ A woman in a doorway

_____ Two children   _____ A child's toy

_____ Three people talking in the background   _____ A man in a doorway

b. Who or what do you think is the focal point or primary subject of this painting? Explain your answer.

_____

_____

_____

2. Scan the darkened walls to the right and to the rear of the **meninas**. Remember that Veláquez often played with light and darkness to create meaning. What did Velázquez choose to illuminate and what did he leave in shadow? What meaning might these choices have? Use complete sentences in your answer.

_____

_____

_____

Las meninas (1656), Diego Rodríguez Velázquez. Oil on canvas, 109″ x 125″. Museo del Prado, Madrid, Spain. Photograph by Erich Lessing/Art Resource, NY.

Fine Art Activities

Las meninas (Infanta Margarita), Pablo Picasso

Pablo Picasso was born in Málaga, Spain in 1881. From the time he began painting seriously until his death, almost 75 years later, he was one of the world's most influential and widely known artists. He is credited with the development of many artistic movements, including cubism. Cubism reflects the artist's interpretation of a subject rather than an accurate rendition of the subject as it appears in reality. Geometrical shapes and a limited use of color are characteristic of this style. This version of Spanish painter Diego Velázquez's masterpiece, *Las meninas*, is called *Las meninas* (*Infanta Margarita*). The painting exhibits Picasso's interest in reinterpreting old works in the cubist style.

1. What colors does Picasso use in his painting? What shapes form the **Infanta**? Use the chart below to list the colors and shapes you recognize in Picasso's painting.

Colors	Shapes

2. In this version of *Las meninas*, Picasso has painted the **Infanta** reaching with her right hand for her own paintbrush. This action reveals some information about her personality. Write a short paragraph explaining what you think the **Infanta** might be like.

_____

_____

_____

_____

Las meninas (Infanta Margarita) (1957), Pablo Picasso. Oil on canvas, 194 cm x 260 cm. Gift of the artist, 1968, Museo Picasso, Barcelona (MPB 70.433)/© 2007 Estate of Pablo Picasso/Artists Rights Society (ARS), New York/Bridgeman Art Library.

Fine Art Activities Answer Key

PERSISTENCIA DE LA MEMORIA, SALVADOR DALÍ, p. 86

1a. Answers may vary. The colors, light, and shading of the background rock formation, as well as the sea- and skyscapes, are realistic and evoke dawn or dusk. The perspective and scaling of the watches also are realistic.

b. Answers will vary. Students may note the melting face-like form in the center of the painting, the melting watches, the bare tree branch growing out of the platform, the ants on the pocket watch, etc.

2. Answers will vary. The painting points to the distortion of memory as time passes (symbolized by the melting watches), to the imposed reality of time (watches again), and to the decay of the past (ants and flies on watches), etc.

VILLAGE FESTIVAL WITH ARISTOCRATIC COUPLE, DAVID TENIERS THE YOUNGER, p. 87

1. Answers will vary. Teniers encourages the viewer to focus on human activity by casting sunlight on the dancing couple, the people eating, and the small cluster of people in the background.

2. Answers will vary. My painting would take place in a great hall, instead of outside. The food would be more elaborate, and the guests would be dressed in expensive clothes and jewelry.

LAS MENINAS, DIEGO VELÁZQUEZ, p. 88

1a. **Marked items should be:**

A paintbrush; A nun; Two children; A painter's palette; A couple reflected in a mirror; A man in a doorway

b. Answers may vary. The light and the postures of all the figures points to the Infanta.

2. Answers will vary. The walls and the paintings on the walls are darkened, the reflection of the king and queen are illuminated, emphasizing their importance, etc.

LAS MENINAS (INFANTA MARGARITA), PABLO PICASSO, p. 89

1. Answers will vary. Picasso used the brightest colors on the Infanta's dress and on her face, emphasizing her importance, while the background and the "shading" on the Infanta are dull.

2. Answers will vary. Some students may point to the strength of this gesture, etc.

Date: _____

Dear Family:

We are about to begin *Unidad 4* of the Level 1 *¡Avancemos!* program. It focuses on authentic culture and real-life communication using Spanish in Spain. It practices reading, writing, listening, and speaking, and introduces students to culture typical of Spain.

Through completing the activities, students will employ critical thinking skills as they compare the Spanish language and the culture of Spain with their own community. They will also connect to other academic subjects, using their knowledge of Spanish to access new information. In this unit, students are learning to talk about what clothes they want to buy, what they wear in different seasons, places and events in town, types of transportation, what they are going to do, and items on a menu. They are also learning about grammar—expressions with the verb **tener** (to have), stem-changing verbs: **e→ie, o–>ue, e–>i,** direct object pronouns, the verb **ver**, and the verb **ir a** + infinitive.

Please feel free to call me with any questions or concerns you might have as your student practices reading, writing, listening, and speaking in Spanish.

Sincerely,

Family Involvement Activity

Exercise your memory!

STEP 1

Gather around a table with your family. Choose a theme from the chart below. The aim of the game is to repeat what each player says and to add another word to the phrase as illustrated above.

STEP 2

The youngest player starts by saying "I need..." and the person to his or her left continues by adding a word. Try adding adjectives and descriptive words so you create a clear and meaningful sentence. A person who skips a word or is unable to repeat the whole sentence is out and the round ends.

STEP 3

The remaining players start over, creating a new sentence with the same topic. Continue until only one person remains. The last player remaining wins the round. Write the name of the winner on the table below.

STEP 4

Practice your Spanish skills by repeating the sentences created during the game in Spanish. A new round begins with the next topic. Continue the game until you have created sentences for all of the topics.

Write your scores here:

Topics	Name of player who won the round
Talk about making purchases	
Talk about getting around town	
Talk about colors	
Talk about seasons	
Describe events or places	

92

Unidad 4
Family Involvement Activity

¡**Avancemos! 1**
Unit Resource Book

UNIDAD 4

Family Involvement Activity

Absent Student Copymasters

Presentación / Práctica de vocabulario

Materials Checklist

- [ ] Student text
- [ ] DVD 1
- [ ] Video activities copymasters
- [ ] TXT CD 4 tracks 1–2
- [ ] *Cuaderno* pages 148–150 (L1A pp. 151–153)
- [ ] *Cuaderno para hispanohablantes* pages 148–151 (L1A pp. 151–154)
- [ ] Did You Get It? Copymasters 1–2, 10
- [ ] ClassZone.com

Steps to Follow

- [ ] Study the new vocabulary in **Presentación de vocabulario** on pages 194 and 195 (L1A pp. 218–220) by reading the captions of the photos. Watch the DVD and complete the video activities copymaster.

- [ ] Practice the words of the **Más vocabulario** box on page 194 (L1A p. 220). Read the words aloud. Write the words in your notebook.

- [ ] Listen to TXT CD 4 track 2 and complete the **¡A responder!** activity on page 195 (L1A p. 220).

- [ ] Do **Práctica de vocabulario**. Complete **Actividades 1** and **2** on page 196 (L1A p. 221).

- [ ] Complete *Cuaderno* pages 148, 149, and 150 (L1A pp. 151–153).
  OR
  Complete *Cuaderno para hispanohablantes* pages 148, 149, 150, and 151 (L1A pp. 151–154).

- [ ] Check your comprehension by completing the **Para y piensa** box on page 196 (L1A p. 221).

- [ ] Complete the Did You Get It? Copymasters 1, 2, and 10.

If You Don't Understand . . .

- [ ] When you watch the DVD and listen to the CD, try not to have other distractions.

- [ ] Read the activity directions several times.

- [ ] Read everything that you write to check that it makes sense and that it says what you want it to say.

- [ ] Use the Interactive Flashcards to help you remember the vocabulary.

Absent Student Copymasters

UNIDAD 4 Lección 1

Absent Student Copymasters

Vocabulario en contexto

Materials Checklist

☐ Student text

☐ DVD 1

☐ Video activities copymaster

☐ TXT CD 4 track 3

☐ Did You Get It? Copymasters pages 1, 3, 11, 12

Steps to Follow

☐ Look at the photo on page 197 (L1A p. 222).

☐ Read **Cuando lees** and **Cuando escuchas** on page 197 (L1A p. 222). Try to predict the answers to the questions.

☐ Watch the DVD for **Unidad 4**, **Telehistoria escena 1** without your book. Then watch the DVD again and complete the video activities copymaster.

☐ Listen to the CD for **Unidad 4**, **Telehistoria escena 1**. Follow along in the book as you listen. Try to understand the dialogue using the pictures and the context.

☐ Study the words in the **También se dice** box.

☐ Complete **Actividades 3** and **4** and read **Nota gramatical** on page 198 (L1A p. 223).

☐ Check your comprehension by completing the **Para y piensa** box on page 198. (L1A p. 223)

☐ Did You Get It? Copymasters pages 1, 3, 11, and 12.

If You Don't Understand . . .

☐ Be sure to watch the DVD and listen to the CD where you can focus. Pause and go back if you didn't understand.

☐ Check to see if your pronunciation is similar to that of the voices on the recording.

☐ Read aloud everything that you write. Be sure that you understand what you are reading.

☐ Make a list of questions for your teacher if something is not clear.

☐ Say aloud the sentence that you are thinking of writing before you begin to write. Read it aloud again after you write it.

Absent Student Copymasters

Presentación / Práctica de gramática

Materials Checklist

- ☐ Student text
- ☐ *Cuaderno* pages 151–153 (L1A pp. 154–156)
- ☐ *Cuaderno para hispanohablantes* pages 152–154 (L1A pp. 155–157)
- ☐ TXT CD 4 track 4
- ☐ Did You Get It? Copymasters pages 4–5
- ☐ ClassZone.com

Steps to Follow

- ☐ Read about the stem-changing verbs such as **querer** and **preferir** presented on page 199 (L1A p. 224). Conjugate **querer** aloud.

- ☐ Complete **Actividades 5**, **6**, **7**, and **8** from the text on pages 200 and 201. (L1A, **Actividades 5–10** pp. 225–227).

- ☐ Complete *Cuaderno* pages 151, 152, and 153 (L1A pp. 154–156).
  OR
  Complete *Cuaderno para hispanohablantes* pages 152, 153, and 154 (L1A pp. 155–157).

- ☐ Check your comprehension by completing the **Para y piensa** box on page 201 (L1A p. 227).

- ☐ Complete Did You Get It? Copymasters pages 4 and 5.

If You Don't Understand . . .

- ☐ Listen to the CD in a quiet place and repeat the words you hear aloud.
- ☐ Read what you are writing silently, then aloud. Be sure that it makes sense to you.
- ☐ If the directions are unclear, try to restate them in your own words.
- ☐ If you have any questions, write them down for your teacher.
- ☐ If the activity has parts for two people, practice both parts.
- ☐ Read the models several times and substitute other words for the words they use.
- ☐ Follow the model on your paper before trying to write out something new yourself.
- ☐ Use the Animated Grammar to help you understand.
- ☐ Use the Leveled Grammar Practice on the @Home Tutor.

Absent Student Copymasters

Gramática en contexto

Materials Checklist

- ☐ Student text
- ☐ DVD 1
- ☐ Video activities copymasters
- ☐ TXT CD 4 track 5
- ☐ Did You Get It? Copymasters pages 4, 6

Steps to Follow

- ☐ Look at the photos on page 202 (L1A p. 228).
- ☐ Read **Cuando lees** and **Cuando escuchas** on page 202 (L1A p. 228), and write the questions in your notebook.
- ☐ Read **Telehistoria escena 2**. Try to understand the dialogue and use the picture for hints.
- ☐ Watch the DVD for **Unidad 4**, **Telehistoria escena 2** without your book. Then watch the DVD again and complete the video activities copymasters.
- ☐ Listen to the CD for **Unidad 4**, **Telehistoria escena 2** and follow along in the book at the same time. Try to understand the dialogue using the pictures and the context.
- ☐ Complete **Actividades 9** and **10** on page 203. Do the parts of both partners in **Actividad 10**.
- ☐ Complete **Actividades 11** and **12** on page 229 (L1A).
- ☐ Check your comprehension by completing the **Para y piensa** box on page 203 (L1A p. 229).
- ☐ Complete Did You Get It? Copymasters, pages 4 and 6.

If You Don't Understand . . .

- ☐ Use the DVD and the CD to help you understand the lesson. Repeat and pause as often as you need.
- ☐ Listen to the CD for **Actividad 9** to help you with sentence structure and pronunciation.
- ☐ Reread the **Unidad 4**, **Telehistoria escena 2** to review how to create your sentences correctly.
- ☐ Read aloud everything that you write.
- ☐ Always make a list of questions if you are unsure about anything. You can ask your teacher later.

Absent Student Copymasters

Presentación / Práctica de gramática

Materials Checklist

- ☐ Student text
- ☐ *Cuaderno* pages 154–156 (L1A pp. 157–159)
- ☐ *Cuaderno para hispanohablantes* pages 155–158 (L1A pp. 158–161)
- ☐ TXT CD 4 track 6
- ☐ Did You Get It? Copymasters pages 7–8
- ☐ ClassZone.com

Steps to Follow

- ☐ Study the functions of direct object pronouns on page 204 (L1A p. 230).
- ☐ Read and complete **Actividades 11**, **12**, **13**, and **14** on pages 205 and 206.
- ☐ Listen to the **Pronunicación** section of TXT CD 4 track 6. Pronounce the words aloud.
- ☐ Do **Actividades 13** and **14** on page 206. Do **Actividades 15**, **16**, **17**, and **18** on L1A pages 232–233.
- ☐ Complete *Cuaderno* pages 154, 155, and 156 (L1A pp. 157–159).
  OR
  Complete *Cuaderno para hispanohablantes* pages 155, 156, 157, and 158 (L1A pp. 158–161).
- ☐ Check your comprehension by completing the **Para y piensa** box on page 206 (L1A p. 233).
- ☐ Complete Did You Get It? Copymasters, pages 7 and 8.

If You Don't Understand . . .

- ☐ Listen to the CD in a quiet place and repeat the words you hear aloud.
- ☐ Read what you are writing silently, then aloud. Be sure that it makes sense to you.
- ☐ If the directions are unclear, try to restate them in your own words.
- ☐ If you have any questions, write them down for your teacher.
- ☐ If the activity has parts for two people, practice both parts.
- ☐ Follow the model on your paper before trying to write out something new yourself.
- ☐ Use the Animated Grammar to help you understand.
- ☐ Use the Leveled Grammar Practice on the @Home Tutor.

UNIDAD 4 Lección 1

Absent Student Copymasters

Todo junto

Materials Checklist

- ☐ Student text
- ☐ DVD 1
- ☐ Video activities copymasters
- ☐ *Cuaderno* pages 157–158 (L1A pp. 160–161)
- ☐ *Cuaderno para hispanohablantes* pages 159–160 (L1A pp. 162–163)
- ☐ TXT CD 4 tracks 7–9
- ☐ WB CD 2 tracks 21–24
- ☐ HL CD 1 tracks 25–28
- ☐ Did You Get It? Copymasters pages 7, 9

Steps to Follow

- ☐ Examine the photos on page 207 (L1A p. 234).

- ☐ Read **Cuando lees** and **Cuando escuchas** on page 207 (L1A p. 234) and copy the questions.

- ☐ Read the **Resumen** in **Escena 1** and **Escena 2**. Next read the script of **Telehistoria, Escena 3** and try to understand the dialogue based on the picture.

- ☐ Watch the DVD for **Unidad 4**, **Telehistoria escena 3** without your book. Then watch the DVD again and complete the video activities copymaster.

- ☐ Listen to the CD for **Unidad 4**, **Telehistoria escena 3** and follow along in the book at the same time. Try to understand the dialogue using the pictures and the context.

- ☐ Complete **Actividades 15**, **16**, and **17** on page 208.

- ☐ Complete **Actividades 19**, **20**, and **21** on page 235 (L1A).

- ☐ Complete **Actividades 18** and **19** on page 209.

- ☐ Complete **Actividades 22** and **23** on page 236 (L1A).

- ☐ Complete *Cuaderno* pages 157 and 158 (L1A pp. 160–161).
  OR
  Complete *Cuaderno para hispanohablantes* pages 159 and 160 (L1A pp. 162–163).

- ☐ Check your comprehension by completing the **Para y piensa** box on page 209 (L1A p. 236).

- ☐ Complete Did You Get It? Copymasters, pages 7 and 9.

Absent Student Copymasters

Lectura y Conexiones

Materials Checklist

☐ Student text

☐ TXT CD 4 track 10

Steps to Follow

☐ Read **¡Avanza!** and *Strategy*: **Leer**, then follow the directions to make a chart (L1 p. 210).

☐ Read **¡Avanza!** and *Strategy*: **Leer**, then follow the directions to make a chart (L1A pp. 238–239).

☐ Read the feature **Las memorias del invierno** (L1 pp. 210–211).

☐ Read the feature **Las memorias del invierno** (L1A pp. 238–239).

☐ Follow along with the text on TXT CD 4 track 10.

☐ Check your comprehension by completing the **¿Comprendiste?** and **¿Y tú?** sections of **Para y piensa** on page 211 (L1A p. 239).

☐ Read **Los arabes en España** on page 212 (L1A p. 240).

☐ Read **Proyecto 1**, **La música**. Try to complete the activity.

☐ Read **La saluda** in **Proyecto 2**. Write about the benefits of olives.

☐ Read **La educación física** in **Proyecto 3** and do the research for the activity.

If You Don't Understand . . .

☐ Listen to the CD in a comfortable, quiet place. Rewind and pause as often as necessary to keep up with the text.

☐ Read the questions several times aloud.

☐ Think about your answers before you begin to write. Think about different ways to state your answer, and choose the best one.

☐ If you have any questions, write them down so you can ask your teacher later.

☐ After you write your sentence, check to make sure that it says what you wanted to say.

Absent Student Copymasters

UNIDAD 4 Lección 1

Absent Student Copymasters

Repaso de la lección

Materials Checklist

☐ Student text

☐ *Cuaderno* pages 159–170 (L1A pp. 162–173)

☐ *Cuaderno para hispanohablantes* pages 161–170 (L1A pp. 164–173)

☐ TXT CD 4 track 11

☐ WB CD 2 tracks 25–30

Steps to Follow

☐ Read the bullet points under **¡Llegada!** on page 214 (L1A p. 242).

☐ Complete **Actividades 1**, **2**, **3**, **4**, and **5** (L1 pp. 214–215).

☐ Complete **Actividades 1**, **2**, **3**, **4**, and **5** (L1A pp. 242–243).

☐ Complete *Cuaderno* pages 159, 160, and 161 (L1A pp. 162–164).

☐ Complete *Cuaderno* pages 162, 163, and 164 (L1A pp. 165–167).
   OR
   Complete *Cuaderno para hispanohablantes* pages 161, 162, 163, and 164
   (L1A pp. 164–167).

☐ Complete *Cuaderno* pages 165, 166, and 167 (L1A pp. 168–170).
   OR
   Complete *Cuaderno para hispanohablantes* pages 165, 166, and 167
   (L1A pp. 168–171).

☐ Complete *Cuaderno* pages 168, 169, and 170 (L1A pp. 171–173).
   OR
   Complete *Cuaderno para hispanohablantes* pages 168, 169, and 170
   (L1A pp. 171–174).

If You Don't Understand . . .

☐ For activities that require the CD, listen to the CD in a quiet place. If you get lost, pause and replay the CD.

☐ Read the activity directions silently and aloud. Make sure they make sense to you before you begin writing.

☐ If there is a model provided in the activity, read it and make sure you understand what you are supposed to do.

☐ Check your answers. Read them aloud. Do they make sense to you?

☐ Keep a list of questions for your teacher to answer later.

Absent Student Copymasters

Presentación / Práctica de vocabulario

Materials Checklist

☐ Student text

☐ DVD 1

☐ Video activities copymasters

☐ TXT CD 4 tracks 12–13

☐ *Cuaderno* pages 171–173 (L1A pp. 174–176)

☐ *Cuaderno para hispanohablantes* pages 171–174 (L1A pp. 175–178)

☐ Did You Get It? Copymasters 13–14

☐ ClassZone.com

Steps to Follow

☐ Study the new vocabulary in **Presentación de vocabulario** on pages 218 and 219 (L1A pp. 246–248) by reading the captions of the photos. Watch the DVD and complete the video activities copymaster.

☐ Listen to the CD as you read the new vocabulary words again.

☐ Practice the words of the **Más vocabulario** box on page 219 (L1A p. 248). Read the words aloud. Write the words in your notebook.

☐ Listen to TXT CD 4 tracks 12–13 and complete the **¡A responder!** activity on page 219 (L1A p. 248).

☐ Do **Práctica de vocabulario**. Complete **Actividades 1** and **2** on page 220 (L1A p. 249).

☐ Complete *Cuaderno* pages 171, 172, and 173 (L1A pp. 174–176).
OR
Complete *Cuaderno para hispanohablantes* pages 171, 172, 173, and 174 (L1A pp. 175–178).

☐ Check your comprehension by completing the **Para y piensa** box on page 220 (L1A p. 249).

☐ Complete Did You Get It? Copymasters 13 and 14.

If You Don't Understand . . .

☐ Watch the DVD and listen to the CD in a quiet place.

☐ Read aloud each question from the book. Look up words you don't understand.

☐ Read everything that you write to check that it makes sense and says what you want.

☐ Use the Interactive Flashcards to help you remember the vocabulary.

Absent Student Copymasters

Vocabulario en contexto

Materials Checklist

- [ ] Student text
- [ ] DVD 1
- [ ] Video activities copymasters
- [ ] TXT CD 4 track 14
- [ ] Did You Get It? Copymasters pages 13, 15, 22

Steps to Follow

- [ ] Analyze the photo on page 221 (L1A p. 250).
- [ ] Read **Cuando lees** and **Cuando escuchas** on page 221 (L1A p. 250). Copy the questions.
- [ ] Watch the DVD for **Unidad 4**, **Telehistoria escena 1** without your book. Then watch the DVD again and complete the video activities copymaster.
- [ ] Listen to the CD for **Unidad 4**, **Telehistoria escena 1**. Repeat everything aloud.
- [ ] Study the words in the **También se dice** box.
- [ ] Complete **Actividades 3** and **4** and read **Nota gramatical** on page 222 (L1A p. 251).
- [ ] Check your comprehension by completing the **Para y piensa** box on page 222 (L1A p. 251).
- [ ] Complete Did You Get It? Copymasters, pages 13, 15, and 22.

If You Don't Understand . . .

- [ ] Read the dialogue several times before you watch the DVD and listen to the CD.
- [ ] Watch the DVD without looking at your book. Check if you recognize the words.
- [ ] Try to sound like the voices of the people on the recording. Match their pronunciation.
- [ ] Say the questions and answers aloud. Ask yourself if you wrote what you meant to say.
- [ ] Make a list of questions for your teacher if anything is unclear.

Absent Student Copymasters

Presentación / Práctica de gramática

Materials Checklist

☐ Student text

☐ *Cuaderno* pages 174–176 (L1A pp. 177–179)

☐ *Cuaderno para hispanohablantes* pages 175–177 (L1A pp. 178–180)

☐ Did You Get It? Copymasters pages 16–17

☐ ClassZone.com

Steps to Follow

☐ Read about o to ue stem-changing verbs, such as **poder** and **dormir**, on page 223 (L1A p. 252). Conjugate **poder** aloud.

☐ Do **Actividades 5**, **6**, **7**, and **8** in the text on pages 224 and 225 (L1A pp. 253–254).

☐ Complete *Cuaderno* pages 174, 175, and 176 (L1A pp. 177–179).
OR
Complete *Cuaderno para hispanohablantes* pages 175, 176, and 177 (L1A pp. 178–180).

☐ Check your comprehension by completing the **Para y piensa** box on page 225 (L1A p. 255).

☐ Complete Did You Get It? Copymasters, pages 16 and 17.

If You Don't Understand . . .

☐ Conjugate the verbs on the **Presentación de gramática** pages aloud several times.

☐ Read what you are writing silently, then aloud. Be sure it makes sense to you.

☐ If the directions are unclear, try to restate them in your own words.

☐ Write down any questions so you can ask your teacher later.

☐ Use the verbs you are studying in various sentences before writing down your answers. Make sure you are saying what you mean to say.

☐ Use the Animated Grammar to help you understand.

☐ Use the Leveled Grammar Practice on the @Home Tutor.

Absent Student Copymasters

UNIDAD 4 Lección 2

Absent Student Copymasters

Gramática en contexto

Materials Checklist

- [ ] Student text
- [ ] DVD 1
- [ ] Video activities copymasters
- [ ] TXT CD 4 track 15
- [ ] Did You Get It? Copymasters pages 16, 18

Steps to Follow

- [ ] Look closely at the photo on page 226 (L1A p. 256).
- [ ] Read **Cuando lees** and **Cuando escuchas** on page 226 (L1A p. 256) and write the questions in your notebook.
- [ ] Read **Telehistoria escena 2** and try to understand the dialogue using the picture as a clue.
- [ ] Watch the DVD for **Unidad 4**, **Telehistoria escena 2** without your book. Then watch the DVD again and complete the video activities copymaster.
- [ ] Listen to the CD for **Unidad 4**, **Telehistoria escena 2**. First listen to it as you follow along in your book, then listen again without your text.
- [ ] Complete **Actividades 9** and **10** on page 227. Do the parts of both partners in **Actividad 10**.
- [ ] Complete **Actividades 11** and **12** on page 257 (L1A).
- [ ] Check your comprehension by completing the **Para y piensa** box on page 227 (L1A p. 257).
- [ ] Complete Did You Get It? Copymasters, pages 16 and 18.

If You Don't Understand . . .

- [ ] Watch the DVD without other distractions. Try to match the pronunciation of the actors.
- [ ] Listen to the CD in a quiet place. Pause and go back several times until the dialogue becomes easy to understand.
- [ ] Write out answers. Underline key words. Always use complete sentences.
- [ ] Make a list of questions if you are unsure about anything. You can ask your teacher these questions later.

Absent Student Copymasters

Presentación / Práctica de gramática

Materials Checklist

- ☐ Student text
- ☐ *Cuaderno* pages 177–179 (L1A pp. 180–182)
- ☐ *Cuaderno para hispanohablantes* pages 178–181 (L1A pp. 182–184)
- ☐ TXT CD 4 tracks 16–17
- ☐ Did You Get It? Copymasters pages 19–20, 23–24
- ☐ ClassZone.com

Steps to Follow

- ☐ Study the stem-changing verbs with the e to i pattern, such as **servir** and **pedir** on page 228 (L1A p. 258).
- ☐ Do **Actividades 11** and **12** on page 229.
- ☐ Do **Actividades 13** and **14** on page 259 (L1A).
- ☐ Listen to the **Pronunciación** section of TXT CD 4 tracks 16–17.
- ☐ Do **Actividades 13** and **14** on page 230.
- ☐ Do **Actividades 15**, **16**, **17**, and **18** on pages 260–261 (L1A).
- ☐ Complete *Cuaderno* pages 177, 178, and 179 (L1A pp. 180–182).
  OR
  Complete *Cuaderno para hispanohablantes* pages 178, 179, 180, and 181 (L1A pp. 182–184).
- ☐ Check your comprehension by completing the **Para y piensa** box on page 230 (L1A p. 261).
- ☐ Complete Did You Get It? Copymasters, pages 19, 20, 23, and 24.

If You Don't Understand . . .

- ☐ Conjugate the verbs on the **Presentación de gramática** pages aloud several times.
- ☐ Read what you are writing silently, then aloud. Be sure it makes sense to you.
- ☐ If the directions are unclear, try to restate them in your own words.
- ☐ Use the verbs you are studying in various sentences before writing down your answers. Make sure you are saying what you mean to say.
- ☐ Use the Animated Grammar to help you understand.
- ☐ Use the Leveled Grammar Practice on the @Home Tutor.

Absent Student Copymasters

Todo junto

Materials Checklist

☐ Student text

☐ DVD 1

☐ Video activities copymasters

☐ *Cuaderno* pages 180–181 (L1A pp. 183–184)

☐ *Cuaderno para hispanohablantes* pages 182–183 (L1A pp. 185–186)

☐ TXT CD 4 tracks 18–20

☐ WB CD 2 tracks 31–34

☐ HL CD 1 tracks 29–32

☐ Did You Get It? Copymasters pages 19, 21

Steps to Follow

☐ Examine the photos on page 231 (L1A p. 262).

☐ Read the **Cuando lees** and **Cuando escuchas** strategies and copy the questions.

☐ Read **escena 1** and **escena 2 Resumen**. Next read the script of **Telehistoria, escena 3** and try to understand the dialogue based on the picture.

☐ Watch the DVD for **Unidad 4**, **Telehistoria escena 3** without your book. Then watch the DVD again and complete the video activities copymaster.

☐ Listen to the CD for **Unidad 4**, **Telehistoria escena 3** and follow along in the book at the same time. Try to understand the dialogue using the pictures and the context.

☐ Complete **Actividades 15**, **16**, and **17** on page 232.

☐ Complete **Actividades 19**, **20**, and **21** on page 263 (L1A).

☐ Complete **Actividades 18** and **19** on page 233.

☐ Complete **Actividades 22** and **23** on page 264 (L1A).

☐ Complete *Cuaderno* pages 180 and 181 (L1A pp. 183–184).
OR
Complete *Cuaderno para hispanohablantes* pages 182 and 183 (L1A pp. 185–186).

☐ Check your comprehension by completing the **Para y piensa** box on page 233 (L1A p. 264).

☐ Complete Did You Get It? Copymasters, pages 19 and 21.

Absent Student Copymasters

Lectura cultural

Materials Checklist

☐ Student text

☐ TXT CD 4 track 21

Steps to Follow

☐ Read *Strategy*: **Leer** (L1 p. 234).

☐ Read *Strategy*: **Leer** (L1A p. 266).

☐ Read **¡Avanza!** and **El fin de semana en España y Chile** on pages 234 and 235 (L1A pp. 266–267).

☐ Follow along with the text while listening to TXT CD 4 track 21.

☐ Check your comprehension by completing the **¿Comprendiste?** and **¿Y tú?** sections of **Para y piensa** box on page 235 (L1A p. 267).

If You Don't Understand . . .

☐ Listen to the CD in a quiet place. If you get lost, pause the CD and go back as often as necessary.

☐ Read each question from the book aloud. Look up words you don't understand to find out what they mean.

☐ If you have any questions, write them down so you can ask your teacher later.

Absent Student Copymasters

Proyectos culturales

Materials Checklist

☐ Student text

Steps to Follow

☐ Read the text of **Comparación cultural** (L1 p. 236).

☐ Read the text of **Comparación cultural** (L1A p. 268).

☐ Follow the instructions to complete the compare and contrast activity in **Proyecto 1**.

☐ Follow the instructions to complete your own painting in **Proyecto 2**.

☐ Complete the activity described in the **En tu comunidad** segment.

If You Don't Understand . . .

☐ Read the activity directions a few times. Use the illustrations to help you understand the project.

☐ Read everything silently and then aloud.

☐ If you have any doubts or observations, write them down so you can discuss them with your teacher later.

☐ Do your work carefully. Have an idea of how you want your work to turn out before you begin.

Absent Student Copymasters

Repaso de la lección

Materials Checklist

☐ Student text

☐ *Cuaderno* pages 182–193 (L1A pp. 185–196)

☐ *Cuaderno para hispanohablantes* pages 184–193 (L1A pp. 187–196)

☐ TXT CD 4 track 22

☐ WB CD 2 tracks 35–40

Steps to Follow

☐ Read the bullet points under **¡Llegada!** on page 238 (L1A p. 270).

☐ Complete **Actividades 1**, **2**, **3**, **4**, and **5** (L1 pp. 238–239).

☐ Complete **Actividades 1**, **2**, **3**, **4**, and **5** (L1A pp. 270–271).

☐ Complete *Cuaderno* pages 182, 183, and 184. (L1A pp. 185–187)

☐ Complete *Cuaderno* pages 185, 186, and 187. (L1A pp. 188–190)
OR
Complete *Cuaderno para hispanohablantes* pages 184, 185, 186, and 187. (L1A pp. 187–190)

☐ Complete *Cuaderno* pages 188, 189, and 190 (L1A pp. 191–193).
OR
Complete *Cuaderno para hispanohablantes* pages 188, 189, and 190 (L1A pp. 191–193).

☐ Complete *Cuaderno* pages 191, 192, and 193 (L1A pp. 194–196).
OR
Complete *Cuaderno para hispanohablantes* pages 191, 192, and 193 (L1A pp. 194–196).

If You Don't Understand . . .

☐ For activities that require the CD, listen to it in a quiet place. If you get lost, pause the CD and go back.

☐ Reread the activity directions. Look up any words you don't know.

☐ If there is a model provided in the activity, read it and make sure you understand what you are supposed to do.

☐ Think about what you would like to say before you write your answers. Read them to check for accuracy.

☐ Keep a list of questions for your teacher to answer later.

Absent Student Copymasters

Comparación cultural

Materials Checklist

☐ Student text

☐ TXT CD 4 track 23

Steps to Follow

☐ Read the directions for **Actividades 1** and **2** in **Lectura y escritura** on page 240 (L1A p. 272).

☐ Listen to TXT CD 4 track 23 as you read the feature **¿Adónde vamos el sábado?**.

☐ Follow the directions for the **Escribir** strategy, then begin **Actividad 2**.

☐ Complete the **Compara con tu mundo** section on page 241 (L1A p. 272).

If You Don't Understand . . .

☐ Listen to the CD as many times as it takes to understand. Pause and go back as often as necessary.

☐ Read through all of the instructions before you begin reading the feature.

☐ Begin to compare your weekend activities with those described on the recording as you read and listen. Take notes.

☐ Make a list of questions if you are confused or don't know how to say something.

Absent Student Copymasters

Repaso inclusivo

Materials Checklist

☐ Student text

☐ TXT CD 4 track 24

Steps to Follow

☐ Use the CD to complete **Actividad 1** on page 242 (L1A p. 274).

☐ Complete **Actividades 2, 3, 4, 5, 6,** and **7** (L1 pp. 242–243).

☐ Complete **Actividades 2, 3, 4, 5, 6,** and **7** (L1A pp. 274–275).

If You Don't Understand . . .

☐ For **Actividad 1**, listen to the CD in a quiet place. If you get lost, pause the CD and go back.

☐ Read the activity directions several times. Use the textbook and review the vocabulary and verb conjugations you need to complete each activity.

☐ Write and practice the parts of both partners in all activities that call for partner work.

☐ Think about what you want to say before you begin to write. Read aloud everything that you write. Make sure that it makes sense.

☐ If you have any questions, write them down for your teacher to answer later.